中華民國心臟病兒童基金會 50 年

愛，在每個心跳

十二位開心的生命鬥士

增修版

謝其濬、陳慧玲、陳培英——著

目錄

Taiwan Cardiac Children's Foundation

50th Anniversary: A Review and Blessings

序

醫者救人的心不能停歇

中華民國心臟病兒童基金會董事長 呂鴻基

你可曾在金燦燦的陽光下觀察過樹葉？即使長在同一棵樹上，葉片看似雷同，其實每一片各有自己的紋理、大小與色澤；若更仔細看，某些葉子會有不同程度的缺陷，但都無損於它們生長於枝椏間。

人的生命也一樣，某些孩子在母胎發育期出現異常，醫學要盡可能幫忙彌補這個缺憾，而這正是我看待心臟病童的態度。當醫師愈認真、醫學愈進步，這些病童被治癒的機率愈高，他們的人生會愈完整。

回首當年，之所以選擇小兒科為畢生志業，理由很簡單，我願終身保有赤子之心，且特別喜歡孩子；至於專攻小兒心臟學，則帶著些許浪漫情懷，因為在生命形成初期，第一個出現的器官是心臟。新生兒的心臟健康狀況，對未來人生能否順利展開具有舉足輕重的影響力，我想要守護每個孩童，讓他們從生命伊始就有健康的心跳，如果發育有缺陷，就交給我來彌補。

我還能多做些什麼？

然而進入醫院實習後，人生真實面給了我另一波衝擊，看到病童家屬顫顫巍巍問起開刀費用、含淚道歉說無力負擔必須放棄治療時，這些已超越醫學知識範疇。我不禁自問，既然穿上白袍立誓成為好醫師，除了鑽研醫術、恪遵醫德，我還能為病童及家屬做些什麼？

早在半世紀之前，那時國民所得僅三百多美元，一次開心手術的費用卻高達新台幣四萬元，對多數家庭而言確實是沉重負擔，許多小生命明明只要接受手術就能活下去，卻輸給了貧困、喪失了生機。我知道，這不是一己之力所能扭轉，那麼，能否凝聚眾人之力來成就好事呢？幸得媒體友人朱宗軻先生的報導，社會大眾開始關注心臟病童，進而促成中華民國心臟病兒童基金會的創立。

凝聚善的力量

做為台灣第一個醫療基金會，篳路藍縷乃必經過程，非營利組織究竟該如何設立與運作，大家同樣陌生，幸好醫師是學習力和執行力都很強的一群人，從章程到細節，眾志成城。一九七一年六月，中華民國心臟病兒童基金會正式成立，協助心臟病童獲得適當的治療、促進社會人士對心臟病童的關懷、鼓勵小兒心臟病的預防與研究，這三項是成立宗旨，身為基金會的資深志工，我願意見證：當年設立的宗旨，基金會確實做到了。

在沒有全民健保的年代，基金會首要任務是以愛心捐款補助心臟病童，讓他們得以開刀治療，不讓醫療挫敗於家庭經濟力，萬幸的是基金會做得很不錯，成為許多病童及家屬的希望。全民健保開辦後，病童家庭的經濟重擔減輕不少，基金會持續進行補助之外，更朝著社會宣導、醫療科技研究、篩檢推廣、心臟病童生活輔導與關懷等方向努力。

行走於濟世救人的道路，有那麼多良師益友互為彼此明燈，我從未感到孤單；更因為基金會的成立，善的力量得以凝聚，台灣小兒心臟學因此不斷精進。我尤其感激社會大眾對心臟病童伸出援手，各界賢達的慷慨解囊、醫界無分輩分的團結合作，都成為我人生美好的回憶。

積極參與國際交流

醫學必須不斷前進，以避免閉門造車，交流是極重要的一環，我們必須走出國門，邁向世界，把成果和全球共享。二〇一九年，第八屆亞太兒童心臟大會在台北舉辦，獲得空前好評，讓台灣醫師不必出國就能與國際學者見面，可直接向技術先進學習，與此同時，也讓外國菁英看見台灣的醫療水準，見識我國的民主與自由，這是最完美的醫學外交。

我認為，基金會應持續奮鬥，未來多參與、多主辦國際大會，持續將台灣心臟醫學送上國際舞台，為世界盡一份力。

與學會相互扶持

也有記者或企業界朋友問我：「學會和基金會如何區隔？合併不行嗎？」我的看法是，兩者都站在幫助病人的立場，不過學會更關注學術研究，基金會更關注預防與宣導，角度略有不同，出發點都是為了病童好。

我觀察東西方，但凡心臟學會、心臟基金會都運作良好的國家，該國的心臟醫學都發展得宜，所以今後，中華民國心臟病兒童基金會與台灣兒童心臟學會仍要相互扶持，為心臟病童謀福祉。

此外，心臟科不再只分心內、心外和兒心，還分化出心律不整、支架、電燒、超音波等次專科，醫藥發明與篩檢技術日新月異，整體實力不斷被墊高。

小兒醫學應予以重視

二〇一一年，我在「民國百年兒童及少年醫療保健論壇」中指出，少子化已成為趨勢，台灣兒童的死亡率高達歐美先進國家的兩至三倍；二〇一八年，台灣一至四歲幼兒死亡率，與經濟合作暨發展組織（OECD）國家相較下，死亡率高居第二。我想呼籲：「兒童代表未來的國力，倘若未能正視這個問題，遲早會釀成台灣的隱患，請賦予小兒醫學更多關注與研究。」

對心臟疾病，我們懂了一些，還有很多不懂的正在學習；對醫師而言，這是可以鑽研一輩子的領域。許多年輕醫師告訴過我：「呂教授，我以成為小兒心臟科醫師為榮。」我總是笑著回應對方：「我也是。」

風濕性心臟病曾經好發於兒童或青少年，經醫界共同努力，我們讓台灣的風濕性心臟病於二〇〇八年銷聲匿跡，這項威脅解除後，醫界無不欣慰。時逢中華民國心臟病兒童基金會成立五十週年，我想再次提醒醫師們：「疾病可以絕跡，醫者救人的心不能停歇，我們要馬不停蹄地去解決下一個問題了。」

推薦與迴響

細數基金會點滴

王主科　中華民國心臟病兒童基金會執行長

我是呂鴻基教授的學生，自然而然也就成為基金會的「終身志工」。我從一九八五年開始參與基金會，算起來也已經有三十六年，近三十年來擔任基金會董事和執行長的職務。

早年心臟手術的醫療費用相當昂貴，若說動一次手術可能要賣一棟房子，其實並不誇張，我就曾經遇過有家屬因為付不起手術費而選擇放棄，身為醫師，心中的失落感可想而知。因此基金會一開始的重點工作，即為病童的醫療補助，當時基金會的工作人員不多，而我們都是從最基礎的工作，一點一滴累積起來。

除了對於病例的醫療補助，基金會也很重視醫療技術的提升，比方說，我們曾經邀請國外教授來台灣，傳授開放性動脈導管、肺動脈支架等先進的醫療技術，讓更多心臟病童有重生的機會。

五十年來，基金會的貢獻不勝枚舉，展望未來，我們期盼台灣醫療環境可以變得更好，政府能持續積極促成急重症集中化治療、解決醫材短缺問題等面向，讓急重症心臟病童得到最好的治療。

朱宗軻

資深媒體人。曾任中國電視公司總經理、《中央日報》董事長、東森電視台總經理

一九七〇年時，我服務於《中央日報》擔任醫藥新聞採訪記者，想追蹤寫一篇

救助心臟病童的綜合性報導，因緣際會找到呂鴻基醫師。初次見面我們就暢談兒童心臟病的成因、症狀、治療與影響等問題，讓我滿載而歸。

呂鴻基醫師當時年僅四十，他是通過美國衛生研究院國際研究獎學金考試，第一位赴美國研究兒童心臟病的台大小兒科醫師，也是全國第一位出國攻讀兒童心臟病的專家。

五十年前，台灣社會福利與社會救助幾未萌芽，做為醫治心臟病兒童的醫師，也多半感到力不從心。訪談中，我提出類似美國福特基金會組織，可以藉社會力量協助心臟病童解除困難，而呂醫師也說，在美國有殘廢兒心臟基金（Crippled Children's Fund）組織，台灣如有這樣的機構，當然可因透過基金會運作對病童提供幫助。

結束訪問當晚，伏案寫稿，落筆時我忽然想到，與其將呂醫師的談話內容寫成對社會大眾的衛教報導，不如將重心落在「呂醫師盼各界協助心臟病童成立救助中心」的呼籲上，然後敘述成立基金會的迫切理由與重要性。沒想到，專欄見報隔天，就有病人家屬親自到呂醫師門診，響應成立基金會並以實質捐款支持，讓呂醫師大受感動。

呂醫師從原先無意，轉成希望，積極展開了基金會的籌備工作。因為他的熱忱、社會的溫暖與慷慨解囊，以及醫學界有志一同的參與，使這個台灣醫學史上第一個醫療基金會在我的報導之後，於一九七一年六月召開發起人會，同年十月勸募委員會於焉宣告成立。

就我所知，基金會五十年來隨社會變遷，工作內涵也不斷調整，據呂教授說，五十年來台灣已有無數心臟病童，因得到基金會的協助而重獲健康人生。

呂鴻基董事長今已九十歲高齡，雖早已自台大退休，但至今仍每週在台大兒童醫院門診看病，在台大醫學院也還有榮譽教職，為心臟病兒童服務已六十多年，他依然樂在其中，不輕言放棄職守。

而我如今已是八十老翁，撫今追昔，想到五十年前，也曾為基金會催生盡過那麼一點心力，也不禁自感與有榮焉。

何信吉　中華民國心臟病兒童基金會資深志工

當年，我抱著做好事的心理，利用午休或假日的時間，將籌備成立中華民國心臟病兒童基金會的資料送到衛生署登記，加上籌備時有善心人士的大力協助，工作非常順利。

基金會成立後，在呂鴻基醫師的推薦下，我出任幹事一職，常代表基金會接受各種慈善團體（例如獅子會、青商會等）的捐款，最深刻的印象，就是白花油董事長顏玉瑩捐出在台灣的營業所得。通常，我必須利用午休時間，騎著腳踏車去收經銷商開出的支票，至於台塑集團「慈善床補助」的指定目標捐款，也是踩著腳踏車去收款。

另外，我也協助基金會舉辦各種慈善展演，得到社會機構及人士的迴響。基金會收穫豐碩，由每年數百筆增加到每年數千筆以上捐款，工作更加繁忙，直到祕書處聘請專職員工後，我才卸下行政、會計兼公關等多重角色的繁重工作，退居幕後做帳務的監督管理，而後仍一本初衷，繼續義務為心臟病童服務。

全民健康保險實施後，心臟病童的醫療費用負擔已經明顯減少許多，但是有很多新的治療方式或是新的醫療醫材並未列入健保給付項目，透過基金會不斷地努力爭取，讓更多的心臟病童受惠。

沈慶村

國泰醫院前副院長

六〇年代，台灣大學醫學院附屬醫院小兒科病房中，最多時有近四分之一為心臟病病童。我從台大醫學院畢業後、當第一年住院醫師時，因為看到這麼多病童經過開心手術治療後與術前判若兩人，因此投入小兒心臟學的研究。

這五十年來，台灣在小兒心臟病的診治及預防上已有很大的進步，像風濕性心臟病在台灣北部已近絕跡，而產前及產後的心臟病篩檢，也使嚴重難治的先天性心臟病減少很多；至於介入性的心導管治療，包括心房中膈缺損、開放性動脈導管，甚至心室中膈缺損，讓病童不需要歷經開心手術，就能獲得理想的治療。

在基金會的努力下，不論是心臟外科技術的改進、術後照顧技術的充實，診治結果與已開發國家的成績相較毫不遜色，而年輕優秀的小兒心臟科醫師輩出，小兒心臟病的研究深入而傑出，這些豐碩的成果裡，其實處處都蘊藏著基金會前賢們的睿智與溫暖。

我們由衷感謝，並祝基金會永續長存，也期待年輕醫師如日如月、自強不息，造福更多心臟病兒童。

吳美環　台大兒童醫院特聘教授

兒心五十週年了，生日快樂！

先天性心臟病是最常見的先天異常，發生率約在千分之八至十二，其中有百分之十是比較嚴重的先天性心臟病，需要開心手術治療。但不論如何，大多數的先天心臟病兒童經過治療後，都可以長大成人，跟一般人一樣。

但是在五十年前，醫療社會資源有限，雖然有堅強的醫療團隊，很多孩子並沒有太多的機會可以接受治療。在這樣的時空背景下，中華民國心臟病兒童基金會成立了。

基金會用愛的力量，成功地把政府及社會資源連結到心臟病兒童的醫療，醫療團隊可以盡全力地為兒童提供最佳的醫療，也提供從胎兒到成人的醫療關懷服務及衛教資訊，會訊更是許多心臟病兒童跟家長最好的衛教資訊來源。

此外，基金會更執行了多年的心臟病兒童篩檢計畫，讓心臟病兒童的醫療需求得以明朗化，是制定公共衛生政策非常重要的資料。

五十週年了，中華民國心臟病兒童基金會一路走來，為心臟病兒童努力的心從來沒變。

謝謝這五十年來所有為心臟病兒童努力貢獻的人！

吳俊仁　義大醫院醫療決策會副主任委員

心臟病兒童基金會成立之後，除了補助家境貧困的病童提供醫療費用，對於病童術後的生活輔導也頗多關注，並設置了獎學金制度，鼓勵病童致力於學業，未來成為對社會有貢獻的人。

另外，基金會透過全國性的衛教活動，對於建立國人有關小兒心臟病的認知，也是功不可沒。在基金會的支持下，催生了台灣兒童心臟學會，這是個以學術研究為主的機構，對於提升台灣小兒心臟醫學的發展，扮演著舉足輕重的角色。

兒童的健康，是國家實力的指標之一，基金會成立五十週年，除了肯定它的諸多貢獻，同時也期許它能繼續守護台灣兒童的健康。

呂如芸　中華民國心臟病兒童基金會董事

在我就讀高中的時候，常聽父親談及，在醫院看到年輕人剛為人父母，為了讓患有先天性心臟病的孩子開刀，必須到處奔走籌措醫藥費。這些父母親的憂心與壓力，促使父親決心為他們盡力募款成立心臟病兒童基金會。

就在我十六歲那年，發起第一次正式的募款活動，為「火柴盒展覽會」。當日期確定後，我動員北一女的同學幫忙蒐集各式各樣的火柴盒；各大報記者也幫忙報導，頗為圓滿成功。我至今仍收藏當時一些特殊寶貴的火柴盒做為紀念。

如今基金會已邁入五十週年，全民健康保險支付了大部分心臟病童的醫藥費，基金會的服務也隨著病童的需求不斷調整。一點一滴的累積，對心臟病童及其家庭發揮深遠的影響。

有時只是一天的活動，但看到病童歡樂的笑容，我就覺得與有榮焉。祝福所有的心臟病童能擁有幸福美滿的人生！

邱舜南

中華民國心臟病兒童基金會副執行長

第一次聽到心臟病兒童基金會，是在我住院醫師第二年的時候，那時曾照顧先天性心臟病的小朋友，他們有些因為家境不好，無法負擔自費的醫材及藥品，當時學長們就說：「去跟兒心申請啊！」那是我第一次知道，原來有一個基金會專門在幫助先天性心臟病的小朋友。

後來當了心臟科的研修醫師，才發現心臟病兒童基金會做的不只是補助醫療費用，還到全台各個學校做心電圖篩檢，以便發現心臟病高危險族群的孩子，並轉介到醫療院所進一步檢查，期望做到早期發現、早期治療。

當上主治醫師後，與心臟病兒童基金會的結緣也愈來愈深，因為科技不斷進步，許多新的先進醫療技術及藥物一開始往往需要自費，我常常就跟家屬說：「我們來請兒心基金會補助一些。」或許是因為太常麻煩基金會，後來董事長呂鴻基教授與執行長王主科教授就邀請我進入基金會一起幫忙，我才有更深入的了解。

不像一般兒童次專科基金會主要只有補助醫療費用，心臟病兒童基金會做的更多，除了住院醫療費用補助、急難救助、居家醫療儀器租借外，也幫忙學童及偏鄉地區做心臟病篩檢，並舉辦許多先天性心臟病童活動，如運動會、音樂會、繪畫及作文比賽等，另外，也呼籲及支持許多新的醫療技術納入健保給付，以及贊助舉辦國際研討會及新的醫療計畫等，可以說是全方位照護心臟病童。

創辦人呂教授雖然已經高齡九十歲，每天幾乎都還是在想著：「能再為心臟病童多做些什麼事？」在每個月的開會中，他最常講的就是：「我們再想想可以怎麼幫助心臟病童！」而執行長王主科教授除了是台灣最強的心導管大師外，也是兒心的靈魂人物，一個接著一個的計畫從他口中提出，讓心臟病兒童能得到更全面的照顧，我跟陳銘仁教授及花玉娟副執行長也都兢兢業業，期望能讓每一個計畫順利付諸執行。

今天，心臟病兒童基金會要過五十歲生日了，我希望這個最關心心臟病童的基金會在下一個五十年能持續茁壯，繼續當心臟病童最強大的守護者！

花玉娟　中華民國心臟病兒童基金會副執行長

回顧剛到基金會工作時，正值基金會舉辦二十週年慶，時光荏苒，基金會已經成立五十週年了。

在沒有全民健康保險的年代，父母除了辛苦焦慮照顧病童的醫療，仍需籌措動輒百萬元的龐大住院開刀費用，在他們最困難的時刻，幸好有基金會幫助他們度過經濟的難關，才能放心接受治療。隨著全民健康保險的開辦，心臟病童的醫療費用負擔減輕了許多，但仍然有許多照顧不到的項目，基金會持續照顧每位心臟病童跟家庭，除了醫療照顧並減輕經濟壓力，更重視他們的心理及精神層面的需求，提供各種服務工作。

基金會成立初期，兒童心臟學剛在台灣開始萌芽發展，創辦人呂鴻基教授帶領的醫療團隊引進國外各種先進技術，至今台灣先天性心臟病的治療成績與歐美先進國家並駕齊驅，基金會扮演非常重要的推手角色。先天性心臟病的治療方法日新月異，藥物以及醫療器材也不斷更新，為了讓心臟病童可以接受先進的治療，基金會持續不斷地建請政府增加健保給付項目，減輕病童的經濟負擔。

基金會成立五十年以來，順應每個不同階段，提供心臟病童最適切需要的服務項目，即將邁入下一個五十年，基金會將一本初衷，繼續為心臟病童的醫療品質及教育貢獻心力。

洪啟仁（一九三〇～二〇一六）新光吳火獅紀念醫院榮譽院長

我自己是心臟外科醫師，四十多年前任職於台大醫院，認識了當時也在台大醫院的呂鴻基醫師。當時，尚無全民健保，經常看到許多先天性心臟病兒童應該要開刀治療，卻因手術費用龐大而選擇放棄。於是呂鴻基醫師希望能成立基金會來幫助這些兒童，讓他們可以獲得適當的治療。

基金會成立後，幫助有困難的家庭負擔治療費用，救了很多患有先天性心臟病的兒童，貢獻良多。此外，基金會還舉辦許多活動，如：運動會、園遊會，藉以聯繫孩子、家長和醫師的互動，有助於孩子的復原。基金會成立以來，曾幫助過的孩子有些已經長大成人，對社會也有所回饋。

後來有了全民健保，但對部分家庭來說，健保中的部分負擔依舊是沉重的負荷。此時，基金會就扮演了重要角色。目前基金會除了對有困難的病童提供手術經費的幫助外，並協助醫師從事心臟病相關研究，包括先天性心臟病的研究和手術後的復健，衷心期盼國內對於兒童心臟病的治療和研究能不斷提升。

張雅婷　NU SKIN台灣總經理

如新（NU SKIN）自創立之初的經營使命，就是：「要在世界凝聚一股善的力量」，這個核心價值，成就了我們的品牌精神，更成為轉動企業前進的能量，讓如新一直持續穩健成長。

如新董事會主席暨創辦人羅百禮（Blake Roney），以簡單的一句話詮釋了企業文化：「我們用為這個社會做了多少善行，來衡量如新的成功與價值，而非業績數字。」

為落實羅百禮先生念茲在茲的品牌精神與企業社會責任，一九九六年，如新成立「善的力量基金會」（Force for Good Foundation），主要任務就是結合公司員工及直銷商的力量，凝聚「善的力量」，幫助需要幫助的人。

分布在全世界的「如新人」，也都以實際行動展現善的力量。二〇〇八年，大中華區設立「如新中華兒童心臟病基金」，在台灣與中華民國心臟病兒童基金會合作，設立「NU SKIN守護心疼娃娃專案」。

在此要特別感謝王寬明、陳明珠、王柏翔、李康瑞、王惠民、郭秀滿、倪錦秀、吳恩佑等榮譽常務理事，超過十年不間斷的支持，幫助了許多家庭，以身作則體現如新「善的力量」。

適逢中華民國心臟病兒童基金會邁入五十週年之際，看著即將出版的一篇篇心臟病童及其家長與生命搏鬥的故事，不但令人動容，也從他們的需要看到了我們的責任。

展望未來，如新期望能夠幫助更多的心臟病童與其家庭，繼續為守護更多孩子們的笑容而努力。

陳炯霖（一九一七～二〇一五）　中華民國心臟病兒童基金會前董事長

基金會成立之初，我便參與各項工作與活動。基金會協助心臟病兒童的治療、減輕病童家庭的經濟負擔。在全民健保開始負擔其醫療費用後，基金會持續鼓勵病童，並以幫助他們融入社會、發揮潛能為目標。

陳銘仁

中華民國心臟病兒童基金會副執行長

個人自一九八五年師從台灣兒童心臟學之父呂鴻基教授伊始，就跟呂教授一手創立的中華民國心臟病兒童基金會有著深厚的淵源。

為協助心臟病童，基金會在一九七一年由呂教授向各界奔走，經行政院衛生署准予成立。我進入師門後，也首度接觸到基金會。

基金會創立初始的宗旨是「一日救一心」與心臟病童身心及家庭輔導，首創心臟病童輔導員的制度。除此之外，基金會也是當時台灣兒童心臟學學術上唯一的論壇中心。

猶記得每個月最後一個週三晚上，在基金會會址辦公室舉辦的兒童心臟學術討論月會，是我們這些後輩除了醫院外，另一個重要的學習舞台。基金會並在二〇〇一年集資出版了《兒童心臟學》（二〇一〇年出版第二版）。往後，呂教授更創立台灣兒童心臟學會，將學術方面的議題由學會承擔。

一九九五年實施全民健康保險，公部門的醫藥費補助大幅增加，基金會開始將募款經費補助健保尚未涵蓋的醫療費用，以及病童急難關懷補助。另一方面，更朝向發展到心臟病童的全人照護努力，包括學童心臟病篩檢防治工作、每年舉辦病童及家長「歡心鼓舞運動會」、建立病童運動指引、頒發病童獎助學金、編纂心臟病衛教手冊、推動新生兒血氧篩檢……。

在國際學術會議上，基金會更是著力協辦了二〇〇八年第九屆國際川崎病研討會、二〇一二年第四屆亞太地區小兒心臟暨心臟外科研討會議（The 4th Congress of Asia-Pacific Pediatric Cardiac Society）、二〇一五年亞太地區兒童及成人介入性心導管手術會議（Pediatric and Adult Interventional Cardiac Symposium, Asia-Pacific〔PICS-AICS AP〕）、二〇二一年第八屆亞太地區小兒心臟暨心臟外科研討會議（The 8th Congress of Asia-Pacific Pediatric Cardiac Society）。如今已發展到3C電子平台做衛教及宣揚心臟病的照護。

五十年來，中華民國心臟病兒童基金會做為台灣第一個醫藥基金會，為心臟病童貢獻無數。期望在諸位前董事長和執行長所建立的堅實基礎上，繼續在恩師呂董事長和王執行長的領導下，基金會所有董監事的支持以及夥伴們的努力下，繼續邁向另一個五十年。我們在緬懷過去的成長歷程外，更重要的是，積極迎向未來，創造基金會新的價值和目標。

中華民國心臟病兒童基金會，五十歲生日快樂！

陳寬墀

中華民國心臟病兒童基金會董事

回想在還沒有健保的時代，看著不幸罹患先天性心臟病的兒童，明明可以開刀治癒的病，卻因為無法負擔龐大醫療費的家庭，每天面對心愛的病童束手無策，只有讓小生命慢慢走近死亡，那種天天感到失望無助的心情，打動不少的人。尤其當了解醫術已發達到可以治好這些病童，卻只是經濟上無法承擔而必須喪失可貴的生命時，心內不免有一種衝動，想要去幫忙而且相信一定有方法。

呂鴻基教授是兒童心臟病專家，他每天面對這些病童和家屬，他的感受比任何人都深。當他向我及幾位有心人提出這些問題時，大家都知道，事實上，他已花了不少心血，計劃如何成立兒童心臟基金會的事，都很順利地進行。我也義不容辭地志願擔當發起人及創會董事，接著就跟隨呂教授推動基金會的事務。

心臟病兒童基金會是我國成立的第一個醫療基金會，我為呂教授願意放下身段，四處奔走募款的堅決毅力所感動而參加勸募工作，其中的感受，若非當事人，實難體會。

幸有呂教授逆來順受的功力，與他長年養成永不退卻的精神，讓我們跟著他深信人沒有悲觀的權利的信念，步步為營。舉凡為基金會募款而舉辦的音樂會、義賣會、特別餐會，幾乎每年都辦，我也每役必與。

印象最深的一次是，美國聞名的小兒心臟科教授Markowiz應台大醫院邀請來台做短期講學期間，由對慈善募款活動頗有經驗的Markowiz夫人所籌劃的

Walkason 募款活動。

當時多數人都沒有聽過 Walkason 這個名詞，字典也查不到，透過 Markowiz 夫人細心安排，請美國學校幫忙，發起一群小朋友舉行為救助台灣的心臟病兒童而跑的活動；此外也發動ＩＣＲＴ美軍電台，在活動前一週就開始播放這個消息，並播放電台主持人訪問呂教授和我的現場節目。

一大群美國小朋友熱心參加這個為愛心而跑的活動。活動當天一大早，由呂教授鳴槍起跑後，美軍電台就不停播放願意贊助的某某小朋友名字，炒熱了活動。所有參與的美國小朋友一一被點到名字，他們都很興奮，愈跑愈勇，跑愈遠的人所獲得的贊助獻金一直增加。因為電台不停地播放，也引來不少其他社會人士打電話到電台贊助捐獻，引起很大的迴響。

參加基金會已逾五十年歲月，一直覺得個人所做的有限。幸虧我們的社會有很多充滿愛心的人，因為有他們持續的奉獻，使得基金會能順利運轉。感謝所有充滿愛心、長年捐獻的慈善人士，以及基金會終年奉獻的所有志工們，他們不猶豫、不勉強，默默按照自己的心願捐獻。

黃碧桃

童綜合醫院心臟醫學中心執行長

三十年前，我曾經主動協助一個因治療心臟病十四年而耗盡家產的病童家庭，即使病童最後仍不幸病逝，但病童家屬對這雪中送炭的恩情，始終銘記在心。

在健保還沒有實施的年代，像這樣的例子實在不少，因此，中華民國心臟病兒童基金會利用社會善心人士的捐款，幫助這些有經濟壓力的家庭，在社會公益的推動上是絕佳的示範。

基金會也在校園推動「學生心臟病篩檢」，早期發現心臟病的潛在個案，避免延誤治療的時機。另外，基金會籌組成立「台灣兒童心臟學會」，近年來，台灣在小兒心臟學的研究屢有突破，並獲得國際的重視。

五十年來，基金會致力於為心臟病童爭取應有的權益，希望未來能夠繼續號召更多的社會善心人士，為造福國人的健康奮鬥不懈！

楊太太　中華民國心臟病兒童基金會第一位捐款人

高中時期，很想辦孤兒院幫助貧困兒童。婚後，經常帶著孩子到台大醫院看病，因而認識了呂鴻基教授。

透過呂教授，知道許多家庭因無法負擔患有先天性心臟病孩子的龐大醫藥費，而眼睜睜看著孩子受苦，當時呂教授有意設立一基金會來幫助這些家庭，我非常認同呂教授單純想幫助有需要的孩子的理念，因此，當基金會確定要成立，我就把當時先生辦生日宴會的錢捐出去，一方面是以實際行動來支持呂教授，一方面也希望拋磚引玉。

五十年來，基金會幫助了許多家庭和孩子。比起呂教授和基金會所做的，我當年所做的實在微不足道。衷心祝福基金會，未來可以幫助更多有需要的孩子。

葉宗林

中華民國關懷心臟病童協會創會理事長

一九八六年十二月，因為孩子罹患先天性心臟病，急需開刀治療。事後，為了感謝榮總小兒心臟科前主任黃碧桃及醫療團隊，身為台北市國際青年商會成員的我，結合商會和台北榮總，在一九八八年八月十三、十四日，舉辦全國首次「碧山開心兒童夏令營」活動。

籌備期間，我認識了當時心臟病兒童基金會的祕書長呂鴻基教授，後來便在他和黃碧桃醫師的指導下，在該年九月成立「開心兒童家長聯誼會」，三年後更擴大成立了「中華民國關懷心臟病童協會」。

心臟病兒童基金會創會以來，從「一日救一心」成長到「一日救二心」及「兒心之家」，讓全國的心臟病兒童及家長十分感恩，也因為心臟病兒童基金會的催生及指導下，本會才能順利誕生和成長。

身為創會理事長的我，謹代表這群心臟病兒童及家長，向邁入五十週年的心臟病兒童基金會說聲「生日快樂」。同時也轉達小朋友們的思念及感恩，因為他們生命的再造，基金會居功厥偉。

希望透過本書的出版，能號召更多人來加入「好心救好心」的行列，有錢出錢、有力出力，大家一起來為全國每年約有兩千個出生的心臟病兒童加油打氣！

顏福成

白花油國際有限公司董事長

早期台灣社會資源不若現今，對於大部分家庭而言，無力負擔手術或病痛治療等費用。白花油當時的董事長以自己親身經歷，對於這樣的遭遇格外感同身受。本於「取之於社會、用之於社會」的精神，一直致力於幫助世界各地有需要的民眾。當時乍聞魏火曜院長發起的「救心」活動，感到相當欽佩並深表認同，於是義不容辭地捐款百萬來響應，盼能帶動其他企業及民眾共襄盛舉。

基金會早期的救心活動，努力為病童籌募資金，一幕幕的畫面仍舊讓人印象深刻，為台灣也為許多家庭帶來奇蹟與希望。

轉眼五十年，隨著時代變遷，現今社會福利較為充裕、設施技術更大為提升，但是基金會不曾停下腳步，仍舊以關懷及協助心臟病童為努力目標，而且更能依社會環境的需求，舉辦更多元的活動；除了持續援助病童之外，專題演講、軟性的鼓勵及支持活動，更加溫暖人心。

基金會的努力，就好比已近九十五年歷史的白花油一樣，以改善民眾生活為出發點，但也會隨著時代的轉變，以更多元、更貼心的方式，陪伴在最有需求的每一角落。

期許基金會的宗旨一如當時的白花油顏老社長心願，以企業所能，盡力付出！

蘇文鈞

長庚醫院小兒心臟科前主任

一九七〇年代，我在台大醫院擔任住院醫師時，就拜呂鴻基教授為師，專攻小兒心臟醫學。基金會成立後的很多活動，在老師的號召下，做學生的當然要全力響應。我還記得當時基金會辦過油畫義賣，雖然自己才剛「出道」，薪水不多，還是買了一張五萬元的畫作表示支持。

我認為，五十年來基金會的貢獻大概可以分為三大面向：第一是醫療費用的補助，讓很多家中經濟有困難的病童也能接受開心手術，這一點也受到很多病童家長的感激；第二，衛教工作的推動，包括了校園的心電圖檢查，發現不少潛在的個案，盡早發現才能掌握手術的黃金時段；第三是心臟病醫療品質的提升，特別是在小兒心臟醫學教育上，頗有建樹。

自政府開辦全民健康保險後，加上醫療專業也大幅提升，多數心臟病童都能接受手術，獲得相當程度的治療，不過，病童往後在求學或就業上仍可能遭到困難，因此我認為，為這些孩子提供生涯的輔導，應該也是基金會未來的工作之一。

（各篇次依姓氏筆劃排列）

軌跡

台灣心臟病兒童基金會五十週年回顧與祝福

呂鴻基、王主科、陳銘仁、邱舜南、花玉娟

先天性心臟病是最常見的先天性畸形，每一千名新生兒中，有八至十個患有先天性心臟病。嚴重的先天性心臟病，需要在嬰兒早期就進行心導管介入或開心手術治療。

一九六〇年代至一九八〇年代，台灣還沒有兒童健康保險，開心手術醫療費用相當昂貴，許多病童的父母親因為無法籌集到手術費用，不得不讓孩子出院在家中去世。

曾在台大醫院工作的小兒心臟學專家呂鴻基醫師對記者朱宗軻先生說：「我需要社會的幫助來挽救心臟病孩子的生命。」次日早上，台灣《中央日報》（一九七〇・九・二十）出現一則新聞標題，「呂鴻基醫師盼各界協助心臟病童成立救助中心」。

兩個星期後，呂醫師的一位病人的母親來到台大醫院，將第一筆捐款新台幣一萬元遞到呂醫師手中，並說：「這是我們在我丈夫生日時存的錢。」以實際行動支持。

成立勸募委員會並選出基金會董事會

台大醫學院院長魏火曜醫師、台大醫院院長邱仕榮、台大小兒科主任陳烱霖和台大醫院醫師，以及社會人士紛紛加入呂醫師的活動，成立勸募委員會。

一九七一年六月，正式成立台灣心臟病兒童基金會（Cardiac Children's Foundation Taiwan, CCFT）董事會，互選董事長：魏火曜；董事：陳寬墀、魏炳炎、姚卓英、薛人仰、陳烱霖、黃榮堂、賴森林、洪啟仁、黃榮堂、林挺生、呂鴻基、Sister Antonia Maria M.D.；監察人：林天祐、章宗鈺、楊鄭淑媛；祕書長：呂鴻基；祕書：何信吉、黃林棟。

社會各界的熱烈響應與捐獻活動

社會各界的響應非常熱烈，有來自個人儲蓄或聚會活動（如慶生會、訂婚或大學畢業等）的現金或匯款等大額和小額捐款，也有私人公司和公家法人捐款，如：中華信託、台北國際社區廣播電台、美軍婦女俱樂部、扶輪社等，最大的一筆捐款來自「白花油集團」。

為心臟病兒童舉辦的慈善活動有：台北教師協會音樂會、蔡采秀鋼琴和中提琴演奏會、台北市政府音樂會、葉火城油畫展覽會、張木杞火柴盒展覽會。舉辦活動的單位還有：台灣大學醫學院學生、西北航空公司、荷蘭皇家航空公司和另外一些航空公司。

CCFT為心臟病兒童所做的工作

CCFT是台灣第一個醫療慈善基金會，使命有四，為：拯救心臟病兒童的生命、保護心臟病兒童、促進兒童心臟學的研究，以及預防兒童心臟病的發生。回顧一九七一年至今（二〇二一）年，我們所做的工作有如下九項：

1. 拯救心臟病兒童的生命：CCFT開始時一個月救一個孩子，以後一週一個孩子，到一九八九年一天一個孩子，一九九一年救到九百多個病童。一九九五年我國全民健康保險開始施行，接受CCFT補助的兒童人數及金額逐漸下降，到二〇二〇年總數達七千七百二十人，總金額達兩億一千三百二十萬元（如圖一）。

2. 協助創立心臟病兒童父母協會，齊心合作：CCFT於一九八八年協助心臟病童的父母親協會，創立「中華民國心臟病兒童關懷協會」，並提供一間祕書處辦公室且每年編列預算補助行政費用，一起致力於心臟病兒童的保護。

3. 設心臟病兒童輔導員以輔導病童與家庭：CCFT從一九九六年開始設立

「心臟病童輔導員」，為心臟病兒童服務，服務項目包括出借家用氧氣罐和血氧濃度監測儀，家庭總數已達一千三百八十九人。特殊個案除輔導病童以外，另給予急難關懷金（圖二）。

4. **設心臟病兒童獎學金：** CCFT為鼓勵做過心導管介入或開心手術的心臟病童進小學、初中、高中、大學和學院，二〇〇〇年開始頒發心臟病兒童獎學金。受獎心臟病兒童已達七千八百六十七人，獎學金總額達兩千萬又八十八萬兩千元（圖三）。

5. **舉辦心臟病兒童運動會：** 盼望心臟病兒童從小就擁有健康的生活方式，學習最佳的體育訓練，CCFT從一九八五年開始，每年舉辦一次或兩次「歡心鼓舞運動會」，委請國立體育大學主持，由體育科老師與學生教導示範。

6. **心臟病篩檢，早期發現心臟病：** 從一九八九年開始，CCFT與台灣兒童心臟學會合作，派遣兒科醫師和兒童心臟科醫師赴學校對學童進行心臟病篩檢。採用病史問卷和心電圖、心音圖檢查，並進行身體檢查。所有疑似心臟病兒童，都給予

圖一、七千多位心臟病童受惠
——1971 ～ 2020 年受助心臟病童人數與捐款

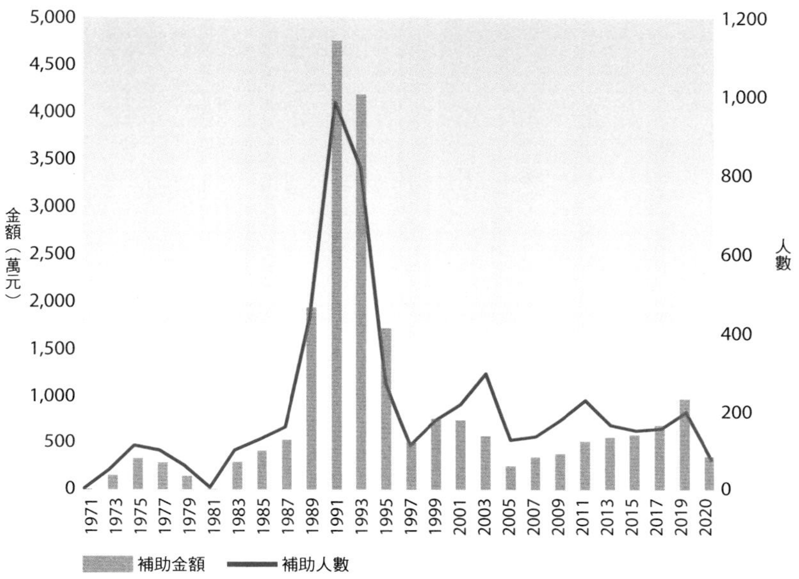

圖二、補助三百多萬急難關懷金
——2013 ～ 2020 年急難關懷金補助金額與人數

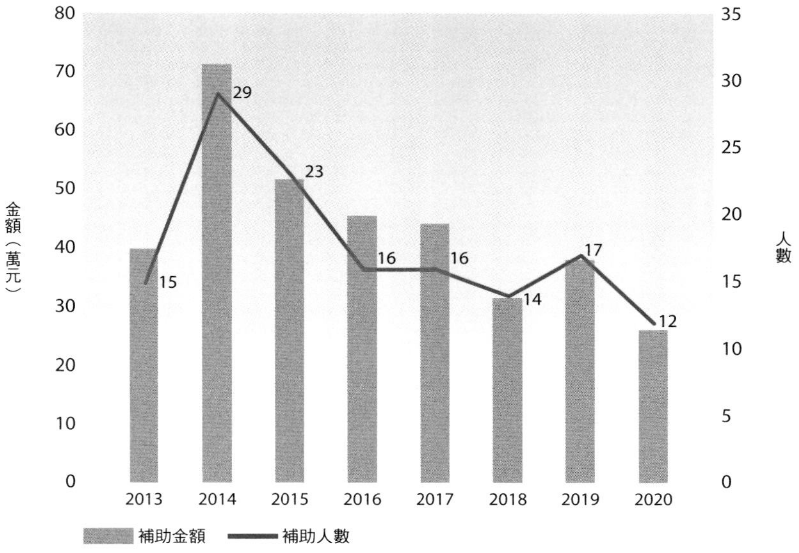

免費轉診到地區醫學中心做兒童心臟學專科診斷與治療。至二〇二〇年共篩檢了兩百五十萬五千八百九十六位學童（圖四）。

7. 小兒心臟病學研究員獎學金和研究計畫獎學金： CCFT於一九七四年提供台大醫院小兒心臟科兩年研究員獎學金，開創我國醫療次專科訓練制度，並自一九九三年開始提供全國小兒心臟學研究計畫獎助金（research grants）。至今，獎助的計畫已達一百三十三件，獎金達五千四百八十三萬兩千兩百零三元（圖五）。

8. 與台灣心臟學會、兒科醫學會和兒童心臟學會共同主辦國際心臟學會大會： CCFT與台灣心臟學會、兒科醫學會和兒童心臟學會，共同主辦的國際學會大會相當多，依年度列記如下：一九八三年，第八屆亞太地區心臟學會大會暨第三屆亞洲兒童心臟病學大會、日月潭國際風濕熱和風濕性心臟病大會；一九八八年，東西方兒童醫療及健康國際研討會；二〇〇〇年，第十屆亞太地區小兒科醫學會大會、兒童心臟學一百年國際兒童心臟學專題研討會；二〇〇八年，第九屆國際川崎病研討會；二〇一二年，第四屆亞太地區小兒心臟暨心臟外科研討會議；二〇一五年，

圖三、獎勵學金累計頒發兩千多萬元
——2000～2020年頒發之獎學金與人數

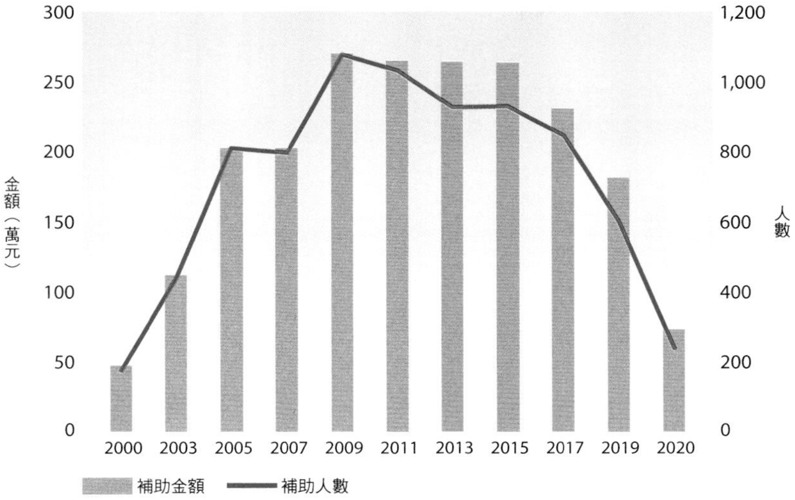

圖四、篩檢近兩百五十多萬人次學童
——1989～2020年學生心臟病篩檢人數

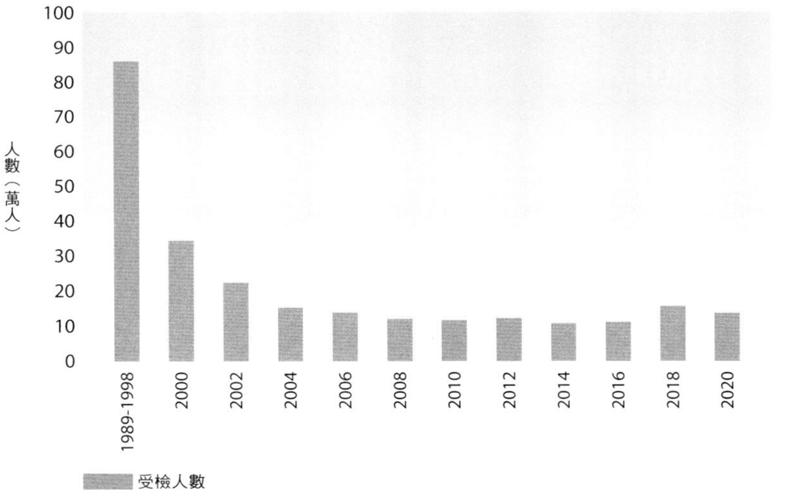

圖五、獎助小兒心臟研究金額近五千五百萬元
——1993～2020年台灣小兒心臟病學研究計畫獎助與人數

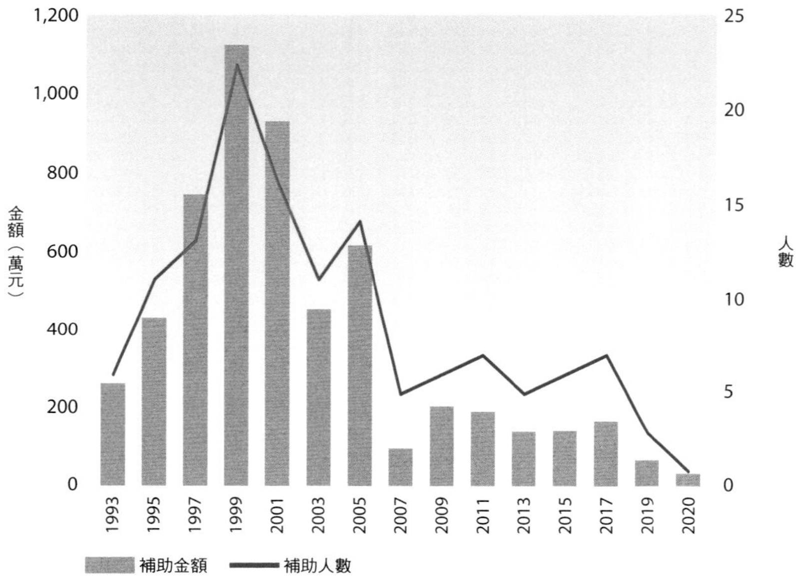

亞太地區兒童及成人介入性心導管手術會議；二〇二一年，第八屆亞太地區小兒心臟暨心臟外科研討會議。

9. 實踐企業社會責任：自二〇一一年創立台灣兒童健康聯盟（CHAT），倡導並促進我國兒童的健康與福祉，共贊助經費五百九十九萬三千九百零九元。

結語與祝福

全世界積極在運作的兒童心臟病基金會，據我們所知並不多，有：一九七一年成立的台灣心臟病兒童基金會；一九八一年成立的泰國曼谷心臟兒童基金會；一九八八年成立的英國布倫特里成人先天性心臟病協會；一九九〇年成立的愛爾蘭克魯姆林心臟基金會；一九九三年在美國田納西州科爾多瓦成立的國際兒童心臟基金會；一九九五年以色列特拉維夫成立的「拯救孩子的心」基金會；一九九六年美國伊利諾伊州諾斯布魯克成立的兒童心臟基金會（與美國心臟協會合作）；一九九八年美國賓夕法尼亞州梅迪亞成立的成人先天性心臟病協會。

台灣心臟病兒童基金會慶祝五十週年生日快樂。謹此，我們要代表受惠的七千七百二十人，感謝眾多的捐款人、恩人，台灣的社會是很溫暖的。CCFT五十年的運作得以順利且有效，也要感謝魏火曜和陳烱霖兩位前董事長，以及許多的醫師和社會賢達的指導與協助。最後，祝福CCFT繼續不斷地發展，有更完美的下一個五十年。

前言

兒心基金會五十年
持續救好心，守護孩子的心跳

半個世紀以前，心臟病是許多人心目中的不治之症，尤其心臟病童往往礙於家庭經濟無力負擔醫療費用，以致喪失被救治的機會。

台大小兒心臟科醫師呂鴻基常目睹家長為了籌措手術費救孩子一命，拿著房地契四處央求借貸，甚至砸鍋賣鐵，令人鼻酸。醫者父母心，他常思索自己能再多做點什麼，最後決定登高一呼，請社會大眾正視這個問題，「中華民國心臟病兒童基金會」於焉誕生。

兒心基金會的誕生

在台灣，平均每一千名新生兒中，約八至十人罹患先天性心臟病，病情嚴重時必須進行開心手術，醫療費用動輒數萬元、數十萬乃至上百萬。在一九七〇年代，不像現在有全民健保，醫療必須全額自付，手術費對一般家庭是筆沉重的負擔，當年付不起醫藥費而忍痛放棄治療者，不在少數。

明知只要開心手術成功，病童的人生就能從此翻轉，卻因窮困而被迫放棄，任小小的生命燭火熄滅，這是病童家屬與主治醫師共同的痛。

當呂鴻基獲知，蔣夫人宋美齡女士出錢贊助幾位心臟病童接受手術治療，雖僅有零星個案，還是令他振奮不已，很希望這種善行持續延伸，於是他向任職於《中央日報》的友人、醫藥新聞記者朱宗軻，提起此事。

經朱宗軻撰寫〈呂鴻基醫師盼各界協助心臟病童成立救助中心〉一文後，立刻引起迴響，有位病童的母親楊太太率先捐出她先生的生日賀禮，成為第一筆捐款，各界賢達也共襄盛舉，在陳烱霖、薛人仰、陳金讓、葉火城、陳寬墀、黎安德等人的發起下，基金會進入籌備階段，由時任台大醫院院長邱仕榮擔任勸募委員會主任委員，時任台大醫學院院長魏火曜擔任基金會董事長。

一九七一年六月，中華民國心臟病兒童基金會正式成立，這是台灣第一個醫療基金會，成立宗旨是協助心臟病童獲得適當治療、促進社會人士對心臟病童的關懷，並鼓勵小兒心臟病的預防與研究，至今運作五十年，是台灣心臟病童及家屬最信賴的依靠。

群策群力走過草創期

草創當年，台灣非營利組織尚在萌芽階段，兒心基金會擔任開路先鋒的角色，為了成功募款補助心臟病童手術費用，經過一段艱辛、難忘又深具意義的歷程。

當年，一位病童開刀的手術費用大約是四萬元，因此基金會一開始便以四萬元為募款單位，號召社會善心人士慷慨解囊，每一筆四萬元就能救一個心臟病童。許多醫界人士、醫學院師生一起貢獻心力，會繪畫的捐出畫作、會音樂的參與基金會主辦的音樂會來募款。

令呂鴻基印象最深刻的是，有位病童家長張木杞從事飯店服務工作，常有機會蒐集到各國客人留下的火柴盒，色彩與圖案各有特色，他為了感謝基金會的付出，特地提供火柴盒收藏，讓基金會舉行慈善展。

社會各界有錢出錢、有力出力，五十年來，基金會透過愛心捐款，補助無數心臟病童的醫療費用，讓微弱的生命之火持續發光發熱，重新找到人生的希望。

建立綿密醫療網

健康地活下去是所有心臟病童的共同心願。基金會成立初期，以「每月救一心」為目標，希望每個月至少幫助一名心臟病童接受開刀治療；經過長年努力，在一九九〇年達成「每日救一心」的目標，平均每天有一位心臟病童在基金會協助下接受治療。

為了造福全國病童，一九七一年起，基金會簽定台大醫院為第一家合約醫院，此後全台北、中、南、東部陸續有合約醫院加入，目前累積達三十八家，形成綿密的醫療網。

針對每一家合約醫院，基金會皆設置顧問醫師，部分醫院更配置了心臟病童生活輔導員，替需要協助的病童和家屬提供最佳醫療服務與生活諮詢。

談起心臟病治療，許多家長已知不一定要開胸，心導管手術提供給病童多一種選擇。

一九八六年，執行長王主科將心導管氣球擴張術首度用於心臟病童身上，跨出這一步之後，包括瓣膜狹窄、缺損修補、開放性動脈導管栓塞等，均可考慮用心導管手術治療。至今，台大醫院已為四千名病童施以心導管治療，且有四千名兒童接受過心導管檢查。

至於治療心房中膈缺損，於一九九九年施行，幾乎與世界同步，不過當時必須自費治療，關閉器需要十五萬元，對一般家庭仍是負擔，幸有基金會幫忙，同時，基金會也不斷跟健保署溝通，極力爭取將「以心導管手術關閉心房中膈缺損」的手術費及材料費納入健保給付，讓病童避免開心手術並減輕醫療經濟負擔。

健保開辦後的新開展

一九九五年起，隨著全民健保的開辦，心臟病童的經濟問題獲得解決，基金會並未因此功成身退，反而對工作目標展開階段性的調整，逐步有了新方向。

做為台灣第一個醫療型基金會，中華民國心臟病兒童基金會推動的工作項目多不勝數，除了對心臟病童提供醫療費用補助，其他服務還包括社會宣導、醫療科技研究、篩檢推廣、心臟病童生活輔導與關懷等諸多面向。

社會宣導是基金會的重點工作之一。基金會對心臟病童的幫助，能量來自民眾的愛心捐款，受助的兒童重獲新生，來日也會貢獻所長，回饋社會。

為了讓民眾理解心臟病童的處境，多年來，在歷屆董監事、工作人員的策劃與推動下，舉辦過各種慈善音樂會、畫展、資料展、演講、座談會、演唱會及健行活動等，喚起各界對心臟病童伸出援手，每每獲得熱烈迴響。

基金會希望強化台灣小兒心臟領域的醫療專業，鼓勵相關研究不遺餘力。

先天性心臟病的藥物及手術治療，成功率可達九五％以上，但仍有五％的病例回天乏術，因此基金會積極推動「早期發現、早期治療」，並從事風濕性心臟病的預防，提供小兒心臟學研究計畫獎學金、小兒心臟學國際交流獎學金、心臟檢查及手術技術員加班津貼等多項補助。

從一九九一年開始，持續補助護理人員、心導管手術及開刀房技術人員和醫師出國學習各種新的臨床照護、急救加護及治療技術。

此外，基金會常邀請國際知名小兒心臟權威來台，指導日新月異的心臟導管手術，不斷提升國內醫療水準。一九九二年，更設立「小兒心臟學研究計畫補助辦法」，促進國內醫學中心和區域醫院的小兒心臟學醫療及研究發展，補助研究計畫達上百件。

成立台灣兒童心臟學會

一九九九年，在基金會呂鴻基創辦人發起推動下成立「台灣兒童心臟學會」，由國內從事與兒童心臟病童相關的醫師，如兒童心臟科、心臟外科、影像科、麻醉科等醫師組成，致力於研究心臟病童的治療，提升治療成績與先進國家並駕齊驅。

基金會與學會之間，是怎樣的互動關係呢？台大兒童醫院特聘教授吳美環從就讀醫學院時期，就開始接觸基金會事務，更在二〇〇五至二〇一二年間擔任台灣兒童心臟學會理事長。

據她觀察，基金會長期接觸大量病童，可提供學會重要的醫療訊息，而學會在醫界與公部門發揮影響力，成果終將回饋給病童與基金會，兩者相輔相成，形成絕佳合作關係。

吳美環指出，相較於基金會主要是幫助病童和家屬，學會成立的宗旨，除了力促醫師的專業發展，也希望將台灣小兒心臟學予以整合，與世界接軌，「我們在二〇〇八年成功舉辦國際川崎病研討會，對國際曝光度大有幫助，在交流過程中向美國、日本學到很多經驗，令醫師們受益良多。」

二〇〇九年，吳美環赴澳洲凱恩斯參加「第五屆世界心臟學會」，極力向總會爭取籌辦二〇一二年「第四屆亞太地區小兒心臟暨心臟外科研討會議」，在事前充分準備與經濟部協助下，順利爭取到主辦權，進而向各國證明台灣小兒心臟學的發展已達世界級水準。

推動學生心臟病篩檢

心臟病童若能及早發現，可提高及早治癒的機會，因此基金會不斷倡議「心臟病篩檢應納入學生健康檢查」，後又進一步建言「新生兒應做血氧篩檢」。基金會不僅宣導衛教，更積極推廣新觀念、新做法，希望讓民眾對兒童心臟疾病有更周全的認識，也讓基金會成為符合時代潮流的公益團體。

基金會從一九八五年起推動「學生心臟病篩檢」，經多年努力，獲得教育單位的重視。一九九九年起，接受台北市教育局委託及提供部分經費，為小學一年級、四年級，以及國中一年級、高中一年級的學生，進行心音心電圖檢查，「學生心臟病篩檢」首度納入台北市學生的健檢項目。

近年來，更因基金會的堅持不懈，包括台北市、台中市、宜蘭縣、台東縣的教育局，已將心臟病篩檢正式列為學生健檢項目。

參與基金會事務三十六年的現任執行長王主科表示，根據統計，目前已有超過兩百五十萬人次的學童接受心臟病篩檢，這對台灣兒童及青少年的健康，深具指標意義。

引進與時俱進新觀念

針對心臟病童的家庭，基金會不僅提供醫療贊助，還有另一項創舉——設立生活輔導員。

自從一九九五年實施全民健保以來，已大幅減輕病童家屬的經濟負擔，然而家屬仍需面對治療過程中的茫然與惶恐，以及病童術後的照顧、日後成長過程可能遭遇的問題。

一九九六年起，基金會開創生活輔導員編制，其主要任務，是協助病童在門診中完成必要的就醫及檢查程序，協同醫師向家屬解釋病情及檢查結果，並提供術後出院返家的照護衛教，對焦慮不安的家屬給予心理支持，換言之，會善盡溝通與諮詢，成為病童、家屬及醫療人員之間的橋梁。

基金會守護孩子的健康，更希望他們活出充滿希望的人生，於是積極推動病童與家屬的教育活動，例如辦理心臟病童在校園的講座、心臟病童父母支持團體、心臟病童運動會等關懷活動，讓孩子盡速恢復正常生活，融入學校與社會。

為了鼓勵病童積極向學，基金會從一九九九年起設立「心臟病童獎學金」，二〇一七年觀念再進化，已將這份獎學金改為「心臟病童獎勵學金」，改以心臟疾病嚴重程度及醫療複雜度做為評比的優先順序，以獎勵更多需要幫助的弱勢病童，包括特殊優異表現及成績等均為頒發依據，希望引領病童朝向德智體群美均衡發展。

累計至二〇二〇年，共頒發七千八百六十七人次心臟病童獎勵學金，累計金額超過兩千零八十八萬兩千元。

二〇一四年起，基金會聯合全台十家合約醫院，推動「新生兒血氧篩檢」，於新生兒出生後檢測血中含氧量，一旦未通過則進一步安排精確檢查，目的是找出罹患先天性心臟病的新生兒，及早救治。

跟上捐款數位時代

有感於數位化和低接觸的時代趨勢，二〇一八年起，基金會新增網路線上捐款系統，大幅提升民眾捐款的便利性；同年導入雲端會計管理系統，可提升效率和風險管控。

由於設立宗旨與守護目標明確，基金會受到包括蘋果公司、如新善的力量慈善基金會及康健人壽等企業青睞，都將基金會指定為長期捐贈的對象。

二〇一九年起，基金會建置電子發票愛心碼九九八八，方便民眾捐贈電子發票，隨手捐愛心。而在新冠肺炎流行期間，為了避免群聚，規劃的活動大都取消，但基金會對心臟病童的關懷從未歇止，持續陪伴無數家庭一起度過人生寒冬，迎向希望。

未來六大展望

生命，始於心臟開始跳動的瞬間，每一顆有殘缺的心臟，得靠世間的愛來彌補。半世紀以來，基金會見證了許多病童的生命奇蹟，下一步的展望是什麼呢？

呂鴻基表示，很多受過基金會幫助的病童長大後，可能面對求學或就業的困境，基金會除了繼續執行現有的工作項目，未來希望致力心臟病童在不同階段的生理、心理諮詢輔導，並擴大結合各界資源，幫助心臟病童立足於社會，發揮所長，做出貢獻。

執行長王主科則強調，未來基金會將秉持初衷，集合慈善人士的「好心」，守護更多孩子的心跳，更認為台灣小兒心臟內外科的治療水準雖持續精進，但仍有值得改善之處，例如對中央政策應積極參與和推動，發揮更大力量。展望未來，他提出幾項建言：

一、促成急重症集中化治療

在新生兒心臟急重症方面，開刀成績仍有進步空間，國外的做法是把病人集中化，盡量在極少數的醫學中心執行治療。以瑞典為例，儘管國土廣闊，仍將四家醫學中心縮編為兩家，成功率反而大增；美國則以州為單位，將小小孩集中於一、兩家治療；台灣擁有交通便利的優勢，基金會應協助政府促成急重症集中化治療。

二、致力解決醫材短缺問題

兒童心臟科的治療對象，從一公斤到一百公斤都有，所需尺碼很多，用量卻遠不及成人，以致治療兒童心臟的醫療器材經常短缺；例如血管支架，成人用的總能隨叫隨到，全台兒童全年用不到一百根，規格還不一致，因此廠商備貨意願不高。

基金會應致力協調政府部門及廠商，協助進口事宜，甚至直接向國外採購來供應。而健保對先進醫療器材的給付有時慢半拍，基金會在正式健保給付之前，可針對急需治療的病童先給予額外補助。

三、資訊透明化以導正視聽

遺憾的是，醫療資訊往往不對等，許多家長接收不正確的訊息、做出不正確的決定。為了改善這種情形，基金會將相關資訊透明化，刊載於網站或以印刷成小冊導正視聽，並開放醫療諮詢。

四、從胎兒期心篩提供諮詢

推動產前診斷，加強胎兒期心臟篩檢，並提供檢出問題後的諮詢服務；基金會特別將醫師、社工及護理師組成團隊，為徬徨的準父母開啟一條綠色通道，提供全方位的產前諮詢。

五、提供病童家庭精神支持

支持，是走下去的力量。基金會對心臟病童家庭的支持，不僅限於經濟協助，還提供家長精神支持，在病童進加護病房時，提供家長休息的地點，並定期舉辦活動或講座，減輕醫療資訊不對等所帶來的恐慌。

六、積極找出兒童心臟病患

目前台北、台中與宜蘭已有入學前的心臟病篩檢，基金會應致力在全台、金門、馬祖等地提供入學前的心臟篩檢，積極找出未診斷出的兒童心臟病，及時給予治療，以確保兒童的健康。

王主科也呼籲，希望政府投入更多經費於兒童醫療，讓急重症心臟病童得到最好的治療，不致因為病況而在日後變成社會負擔，且兒童的健康攸關未來國力，兒心基金會也將持續守護心臟病童，迎向下一個五十年。

（文／陳培英）

1 留白的祝福

面對生死，放手是最難的，

但對綺綺爸媽而言，

他們一路陪著綺綺，直到最後一刻，

想努力的不是「生存的機會」，

而是「生命的價值」。

綺綺每次畫畫，都要把可運用的紙張或空間畫滿，家裡有一塊白板，她每次在上面畫畫都非得畫滿整片不可。但只有那天，就是她要離家去做手術的那天，臨出門前，綺綺媽媽看到白板上留了一大片空白，綺綺只在角落畫了一隻小恐龍。

「那隻小恐龍真的好可愛，由於當時趕著要去醫院，我沒想那麼多，但那就是她畫給我們的最後一隻恐龍，」綺綺媽媽說起那隻小恐龍有多可愛時，眼睛明亮、聲音溫柔，像是看到圓圓眼睛、大大笑容的綺綺就在眼前，穿著爸爸幫她做的恐龍裝到處跑來跑去。

像恐龍一樣勇敢

很多人看過、聽過、感受過綺綺的故事，她，就是那個畫恐龍貼圖的小女孩。

「綺綺的恐龍綺想世界」貼圖，在二〇一八年九月二十六日上架，第一天銷售額就有六百萬日幣（約合新台幣一百八十二萬五千兩百元），綺綺成了暢銷貼圖畫家，被選為貼圖畫家的MVP，拿下新人賞大獎。藉由貼圖上架銷售，扣掉稅金費用，綺綺捐了五百多萬元給中華民國心臟病兒童基金會，幫助需要的孩子。

「綺綺」的本名是郭麗綺，一個十歲的小女孩，是的，用人世間的算法，她十歲。她出生在二〇〇八年二月，離開這個世界時是在二〇一八年七月。

幾年過去，在許多人心裡，綺綺的笑容還是那樣鮮活，她留下許多精采的畫，透過這些畫，綺綺和世界的互動還在繼續，如同她最後在家裡白板角落留下的那隻小恐龍，像是在揮著手說：「我在這裡啊！我很好，你們也要好好的。」

綺綺不是忘了要畫滿那塊白板，她留下的那片空白是一個暗號，是她會繼續為所有人填上更多的祝福。

綺綺是爸爸媽媽的第一個孩子，也是兩個家族的第一個孫輩，可以想像這孩子是在家人們愛的期待中出生，並全心呵護著成長。在媽媽懷孕五個月產檢時，經由高層次超音波發現，綺綺左心發育不全合併肺動脈狹窄。

以綺綺當時先天性心臟問題嚴重的狀況，曾有醫師建議中止懷孕進行引產，但綺綺爸媽從一開始就沒想過要放棄。他們輾轉奔走於不同醫院尋求協助，最後找到台大醫院婦產科施景中醫師。

「施醫師的病人很多，我帶著轉診單及滿臉的淚水，衝到診間去請他幫忙。看過病歷資料，他跟我說，這孩子還是有機會，我們來試試看幫忙她。」就這樣，施景中醫師與綺綺展開了一段奇妙的緣分，這位綺綺的「醫生阿北」，不只幫助綺綺來到這個世界，更在她離開世界之後，讓綺綺的恐龍貼圖順利上架，讓更多人知道綺綺的故事。但在當時，不論是綺綺或是施景中醫師，都沒想過會有後續的發展。

在施景中醫師的照顧下，綺綺被順利接生下來，但也因為嚴重的先天性心臟問題，一出生就立即轉送加護病房。綺綺媽媽在接受媒體採訪時說過這樣一段故事：「護理師說，妳要不要親她一下？我正準備要親她的時候，綺綺主動嘟起小嘴，像是在跟我說謝謝。」讓爸爸與抱著她的護理師驚呼連連。

這是一個媽媽與孩子心意相通的時刻，小綺綺彷彿知道，自己即將展開的人生，是眼前的爸媽在她還沒有出生之前，為她努力奮鬥許久才得到的機會，而現在她來了，她也要一起加油。

施景中醫師後來在臉書寫下他和綺綺的故事，感動許多人。

為了慶祝我和我接生的、勇敢的小美女重逢，我送她一個恐龍牙齒的化石。媽媽跟我說，綺綺是恐龍的愛好者，為了恐龍，以後還想當考古學家⋯⋯

綺綺的確是個特別的孩子，有主見、敏感以及自信。她特別喜歡恐龍之類的動物，她說希望自己能夠像恐龍一樣凶猛勇敢且毫不畏懼，因此在五歲左右動第二次心臟手術時，她哭著說：「媽媽，我一定可以的，我會像恐龍一樣勇敢的。」雖然淚流滿面，但眼神既勇敢又堅強。

面對現實的闖關

從綺綺出生就開始照顧她的台大醫院心臟外科陳益祥醫師，是綺綺生命中的另一個「醫生阿北」。有次，綺綺術後復原中，爸爸帶著一隻機器恐龍玩具到加護病房鼓勵綺綺，綺綺一手拿著遙控器遙控在桌上的恐龍，一邊讓陳醫師檢查傷口，陳醫師看到後爽朗地笑著說：「哈哈，妳把這隻也帶來，護士阿姨除了要顧妳，還要顧這隻啊！」這位綺綺口中「講話很大聲的醫生阿北」，面對眼前這個挑戰一關又一關困難的小女孩，心底也有特別柔軟的一面。

綺綺剛出生便住進加護病房，兩個月大就做了第一次矯正手術，處理肺動脈狹窄問題，之後在三歲、六歲又再動了第二次、第三次手術；在上小學之前，她已經做過三次開心大手術。

這對綺綺與家人都是很難熬的經歷，有時開心手術會因為心臟腫脹、無法馬上關胸，必須要等到心臟消腫才能把胸腔縫合。綺綺爸爸曾在媒體採訪時說起這一段：「看著進去手術的孩子，手術後卻像『剖開的雞』被推出來。」對爸媽而言，真是無比心疼不捨。每當綺綺手術時，爸媽睡在加護病房外的椅子上長達一個月都是常事，但他們知道，每過一關，就會看見希望。

綺綺爸媽都知道，這是他們要陪伴綺綺一起經歷的過程。而面對困難的選擇，很多人難免會想：「不做手術，就這樣過一天算一天就好了」、「如果再早一點手術，是不是就不會像現在這樣？」等。但綺綺爸媽有不一樣的想法：「我們盡量不要往這個方向去想，因為那些都是不切實際的假設，我們唯一可以相信的，就是和醫生討論、按照醫療計畫去做，要面對現實，而不是逃避。」

把心臟病當功課寫

爸媽的勇氣，是孩子的力量。

綺綺有一張穿著藍色小洋裝的照片，她一手比ＹＡ、一手叉腰，自信地看著鏡頭，從洋裝領口露出的一小道疤痕像是她的勳章，讓她不需要多說什麼大家就會知道，這女孩有著不一般的勇敢。

她的個頭不高，進小學時只有一百公分出頭，但一般人完全看不出這是一個病弱的孩子，她個子小小、個性很強、笑容很甜、食量很大。她一個人可以吃掉一個大人的套餐，看得出來，她認真地享受食物，就像她對待生命中的任何事物一樣。

綺綺會跟爸爸一起去露營、騎越野車、攀岩，看在媽媽眼裡，綺綺和爸爸更像是一對同齡玩伴。綺綺對所有新事物都充滿好奇，而爸爸也會陪著她去嘗試挑戰。父女倆可以用一個呼拉圈當盪鞦韆玩一個下午，也可以騎著越野車到處去兜風。

和媽媽一起去日本時，路上遇到當地人，綺綺會問媽媽，他們說些什麼，然後用她自己懂的日文回答對方，綺綺媽媽說：「日本人聽到她講日文，還稱讚她說，妳日文很好耶。其實不只是日文，她連英文也很敢講。」

那幾年，綺綺的身體經常處於血氧過低的狀況，數值都只有八十上下，但她會吊單槓、跑步，還很喜歡游泳，就算媽媽特別拜託老師不要讓她游太久，她還是會在游泳課時偷偷練習。直到最後一堂游泳課結束後，綺綺告訴媽媽，自己每堂課都有下水練習一段時間，並好強地說：「我都有注意身體的狀況，我可以。」

講起這一段，綺綺媽媽說：「她知道自己身體不好，但不知道有多不好，但她有一股衝勁，就是什麼事都想要試試看。」

這就是綺綺，她勇於嘗試所有事物，沒有顧忌，就像她的畫一樣，一筆到底、從不塗改。

「我們一直都跟孩子說，雖然妳沒有很好的心臟，但妳有很好的頭腦，」綺綺媽媽常常在睡前陪綺綺聊天，有時她會跟綺綺說對不起，沒能給妳健康的身體，但綺綺會安慰她：「沒有關係，我覺得我這樣很好，我只是心臟的功課沒有做好，老天爺要我認真把它做好。」

爭取到最後一刻的生命

綺綺在十歲那年做了第四次手術，這對綺綺一家人而言，像是走到一個十字路口，因為相較於前面三次手術，這次手術從一開始選擇手術的治療方式，到最後決定要不要動手術，都是非常艱難的選擇。

就連從小照顧綺綺的陳益祥醫師，都深知這對綺綺是很難的一關，當時評估手術的成功機率大概是五成到六成之間。

綺綺知道，這次的手術是她必須要完成的功課。在手術前，她會跟醫師聊天，那時醫療團隊為了做術前模擬，用3D列印技術做出一顆心臟模型，綺綺要求陳醫師說：「你做完手術要把這顆心臟給我喔。」

二〇一八年七月二十一日，綺綺完成手術，但術後她的心臟收縮狀況很不理想，必須使用葉克膜維生。

「看著機器上上下下，彷彿是在問我們，時間已經到了，還要繼續嗎？放手對我們而言是痛苦的，但對她是解脫了，」綺綺媽媽回憶，「有些人會選擇要救到底，我看過一篇文章是另一個心臟病童的故事，她後來洗腎洗了一個月，很痛苦，但最後還是走了，我們希望讓她好好地走，然後好好地再來。」最後，綺綺爸媽做了一個和十年前一樣勇敢的決定。

綺綺走後，綺綺爸媽曾經接受媒體採訪，當中談了很多綺綺的故事，但他們反覆強調：「綺綺最後一次的手術其實修復得很好，只是綺綺的心臟跳得不好，綺綺是一個特殊的個案，因為她的心臟狀況較複雜，但在醫療團隊的幫助下，她過了十年精采的生活。以現在醫學的進步，大部分的兒童心臟疾病都可以得到很好的治療，由於有很多人關注綺綺的故事，我們擔心會不會因此讓很多爸媽害怕不敢讓孩子接受治療，但我們真的想跟大家說，不要怕，做該做的決定，才能真正幫助孩子。」

生命價值比生存機會更重要

在一般人印象中，面對生死，放手是最難的，但對綺綺爸媽而言，從懷有綺綺開始，他們就一路陪著她努力，直到最後一刻，他們和綺綺努力的不是「生存的機會」，而是「生命的價值」。

如同綺綺媽媽說的：「她這精采的十年，留給我們很多畫作可以不斷回味，從這個角度來看，她短暫的生命可能比有些人更濃醇、更有滋味。」

很多人會認識綺綺，是因為她的恐龍貼圖。綺綺媽媽說，只要跟綺綺說要她畫什麼，她幾乎都能夠畫出來，而且她喜歡畫不一樣的東西，從恐龍、寶可夢、變形金剛、獨角仙，甚至是爸爸的日本同事，只要是綺綺覺得有趣的人事物，她都會畫下來。

綺綺從很小就開始畫畫，沒有人真的教過她，有一次，阿公給了她紙筆，這孩子就這樣一路畫了起來，媽媽說：「她可以一直畫一直畫，走到哪裡都可以畫，就連洗澡，她都可以用浴室玻璃上的蒸氣，畫出一整面圖。」

用畫跟世界溝通

細細翻閱綺綺的作品，她的作品實在太多，而且有很多是畫在不同的地方，像是白板、玻璃、牆壁等，畫完之後可能就擦掉了，現在想來都覺得很可惜，但或許對綺綺而言，那些都是已經完成的作品，不論是否有留下來，或是否有人看到。

綺綺爸爸工作上有時需要做簡報，他會把想要的概念告訴綺綺，綺綺就會發揮創意繪出。很多人可能覺得孩子就只是會畫畫，但其實綺綺不只是畫，她是在透過她的畫跟這個世界溝通。

看綺綺的畫，會讓人著迷於其中的細節安排，也會讓人驚嘆這孩子到底還會蹦出多大的創意。

綺綺第一次畫畫，是阿公給了她幾張色紙和蠟筆，她就在一張紙上畫了幾個地方，其他地方都是空白的，乍看像是塗鴉，但把幾張畫一起放在桌上看，就會看出她畫的其實是一張張的臉，她把一張色紙當成一張臉，在上面畫了眼睛、鼻子、嘴巴，有一張還加上了眉毛。很難想像，一個兩、三歲的孩子，怎麼會懂得這樣落筆去畫畫。

綺綺媽媽是美術科班出身，但並沒有特別教過孩子什麼繪畫技巧，只是有一次，綺綺看到媽媽畫的靜物畫，她要媽媽教她怎麼畫出一樣有立體感技巧的盒子。

後來，綺綺真的畫出很有立體感的盒子，但綺綺就是綺綺，她永遠不會只是畫一個盒子而已。在那張畫裡，她用盒子當成背景，畫了從盒子跑出來的鱷魚、身上穿著盒子裝的翼龍、給盒子加上五個輪子就成了恐龍的滑板等。

在畫裡，綺綺用她所學的畫出了更多創意，她的創意就像天馬行空，自由自在、不受拘束地奔跑在她的世界裡。

除了畫恐龍，綺綺也很會手做卡片，在幼稚園剛學會寫注音的階段，她畫了一張青蛙的臉，並剪下來貼在另一張紙上，大大的眼睛立在頭上，青蛙咧嘴大笑，嘴巴中間空白處用注音寫著「謝謝爸爸媽媽照顧我」。

最後一張綺綺送給媽媽的卡片是生日卡，那是她第四次開刀前幾天畫的。她在卡片信封上也畫了青蛙，少見的上了色。一隻快樂的綠色小青蛙站起來像是在跳舞，旁邊用彩色的字寫了「Happy Birthday」，但在青蛙的另一邊，綺綺畫了一朵雲在下雨、地上積了一灘水，而那朵雲是有表情的，像是正在微笑著。

在這兩張畫裡面，都讓人想到綺綺是不是把自己當成畫裡可愛的小青蛙。那笑咧開了的嘴，正在大聲地跟爸爸媽媽說：「謝謝你們照顧我。」就像綺綺以前常在睡前會跟爸媽說的話；而那隻站起來快樂跳舞的小青蛙，雖然旁邊在下雨，但她還是開心地跳著舞，像是她知道帶來雨水的雲正在微笑，這不是一場悲傷的雨，而是一場喜悅的雨。

留下生命的真實滋味

兩年前，綺綺有了一個弟弟，很多人都說弟弟跟綺綺小時候長得很像，也許正如綺綺爸媽相信的：「綺綺回來了。」但即使如此，綺綺還是綺綺，她一直都在。綺綺媽媽說：「我們家不會避諱談論綺綺的事，阿嬤現在還是會喊她的小名、說她的事，我們現在寄東西給一些認識綺綺的朋友，還是會用『郭麗綺』的名字，因為她一直都在，不只對我們如此，對很多認識她的人也是。」

中華民國兒童心臟病基金會輔導師黃莉雯一路陪著綺綺一家，她看到綺綺爸媽是如何面對這一切的過程，他們讓綺綺的愛延續下去，她的恐龍貼圖幫助更多需要扶持的孩子，也看到他們是如何面對孩子離去的傷痛：「我有時會去看他們的臉書文章，生命不在乎長短，而在於價值，綺綺媽媽的臉書就讓我看到這樣的價值。」

因此，綺綺的故事不是一個悲傷的故事，也不是一個故事的句點，綺綺的故事更像是一顆含在嘴裡的金柑糖，那樣的酸、那樣的甜，為許多人的生命記憶留下真實的滋味。

（文／陳慧玲）

鼓舞每一顆心

台大醫院主治醫師 **陳益祥**

我幾乎是陪著綺綺一起長大的，從她剛出生就交到我手裡。她的心臟問題是很複雜的狀況，最後一次手術要決定做單心室或雙心室，就評估非常久，電腦斷層都不知道做了幾次，甚至還做了3D列印模型，對醫師、對爸媽都是非常困難的決定。但是看到孩子愈來愈黑，因為血氧愈來愈低，我們都知道如果不開，就只是等時間倒數而已。

那段時間，她都還是很活潑，一看到我就衝過來叫我抱。但說實在的，我真有點抱不下去，因為我知道現在抱得到，以後不知道是不是還抱得到。

爸爸媽媽真的把綺綺照顧得很好，也把她教得很好。她離開之後出了貼圖，我自己手機裡也下載了，這些圖我之前就看過，真的畫得很好，她是一個有天分的孩子，而且善體人意，我相信她來到這個世界上是有特殊意義的，讓很多人因為她而聚在一起，產生更大的力量。如果沒有綺綺、沒有這些貼圖，就不會有後來的故事，也不會讓其他許多正在經歷同樣困難的家庭知道，這世界上還有許多關心他們、能夠幫助他們的人。

我常講：「醫療是選擇，沒有對錯。」如果現在不做，以後可能會更捨不得。我看過一些心臟病孩子就是一輩子都不開刀，然後在一個很小的天地裡生活著，生活起居都受到身體的限制，但這樣的人生真的是孩子要的嗎？很多人會問手術的成功率是多少，但成功率百分之百就是最好嗎？這裡面可能有一些是原本該開都沒有開，所以看起來成功率就是百分之百，醫療的發展會一直不斷向前推進，每一個病例都是對未來醫療的貢獻。

綺綺爸媽的態度很正面，不論是在醫療處置的選擇上，或是看待綺綺人生的態度上，因為綺綺的人生很精采。每個人活著的時間都是很短暫的，但死亡才是永恆的，因為會留下一些東西讓人懷念，讓人記得有這樣的一個生命來過，綺綺就是這樣。

我相信，很多人、很多事在很多年後都會被淡忘，但五十年後，醫學界在小兒心臟病史還是會提起這樣一個孩子：「那個畫恐龍的小女孩——綺綺。」

2 生命給予的特別任務

因為近身見識過生命無常的瞭然，

所以要為未來人生預做規劃，未雨綢繆。

悅茵一家三口這個團隊，

面對生命交付的這項特別任務，

已經準備就緒。

「她是雙子座，而且是很典型的雙子座，想法變得很快」，「她小時候就很有自己的想法，不太能強迫她吃什麼、做什麼」，笑著談這孩子有多「特別」，悅茵（化名）爸爸的語氣裡有的，不是心疼孩子的寵溺，而更像是理解之後的默契，對他們一家三口而言，他們像是一個團隊，要共同面對生命中被交付的一項「特別任務」。

悅茵在四歲時第一次心律不整發作休克，之後被診斷出患有兒茶酚胺敏感性多形性心室頻脈，這是一種基因遺傳疾病，需要透過基因檢測才能確診，雖然在心臟結構上沒有異常，但卻可能因為特殊情境誘發嚴重心律不整，是造成兒童與青少年心因性猝死的隱形殺手。

負責悅茵個案的中華民國心臟病兒童基金會輔導師王美慧就說：「類似像悅茵這樣的狀況是比較難被發現的，因為外表看不出來，但一發作就是生死交關。」

為了讓悅茵能夠正常生活，降低發病時造成的致命危險，六歲時悅茵進行了皮下去顫器植入手術，當致命性心室心律不整發作時，去顫器將可及時自動偵測並給予電擊，讓心臟恢復正常功能。

現在悅茵上小學了，跟許多小女生一樣，她也喜歡動畫《鬼滅之刃》，會穿著主角的衣服在家裡玩得開心，也會跟許多小朋友一樣早上賴床，趕不及去上學，讓爸媽又急又氣但又拿她沒辦法。

一切都很平常，就像是悅茵爸媽原本期望的歲月日常。

對他們一家人來說，悅茵心臟的問題，會是他們共同的生命課題，而置放在悅茵胸口裡的那顆去顫器，就是他們三人共同對未來的平安祝願。

第一次發病的幸運

四歲之前的悅茵，在爸爸口中是個「跑得很快、玩得很瘋」的小孩，完全看不出來有任何問題。但四歲那一年，有一回悅茵跟小朋友遊戲打鬧時，不小心被打到肚子，一開始只是說肚子痛，但卻連兩天都出現嘔吐情形，幾乎無法吃東西，到了醫院，就在醫生正準備要照X光時，悅茵卻突然休克，經過緊急搶救之後才幸運救回一命。

直到現在，談起悅茵第一次發病的過程，悅茵爸爸還是無法確定，當時是什麼原因導致休克：「因為她有時候膽子很小，第一次照X光，她可能是很害怕、很緊張，但也可能是因為那時她已經兩天沒辦法好好進食。」

由於悅茵的狀況特殊，她沒有心臟病史、也沒有其他異常，但卻發生如此嚴重的心律不整，讓當時負責照顧悅茵的醫生警覺到，需要進一步的專科檢查診斷，建議把悅茵轉送到台大醫院。

現在不是可以任性的時候

在悅茵第一次發作休克後，由於還沒有找出確切的病因，也擔心會有其他因素造成她再度嚴重心律不整休克，因此持續使用鎮靜藥物讓她處於昏睡狀態，同時一邊用藥讓她的心跳能夠穩定下來。

「整整一週，她都處於麻醉鎮靜的狀態，那一週對我們是很折磨的，因為病因還沒有找出來，只能先求讓她穩定下來，台大醫師在過程中處理得很好，不敢立刻讓她完全清醒，因為怕那麼小的孩子會害怕，所以慢慢地讓她短暫意識清醒適應，」悅茵爸爸回想當時的情形，仍記憶猶新。

而悅茵剛醒來時沒有驚慌，也沒有掙扎想把管子拔掉，如同爸爸說的，她是個聰明的孩子，即使心裡害怕，但卻知道這不是她可以任性的時候。

悅茵在台大住院三週，除了先將身體狀況穩定下來，同時進行更深入的檢查，之後透過基因檢測，確定病因為兒茶酚胺敏感性多形性心室頻脈。

說起當初悅茵從第一次發作到確定病因的過程，悅茵爸爸到現在都還有很複雜的情緒：「第一次發作是在醫院，現在想起來，很慶幸當時是在醫院可以及時搶救，但說實話，有時我們也會想，是不是那次不要因為肚子痛、不去醫院，就不會發作，但我們都知道這樣的想法並不正確，因為這是基因遺傳疾病，代表她可能在任何地方、任何時間發作，那樣的後果可能更不堪設想。」

為隨時可能來襲的風暴準備

由於悅茵被診斷罹患的兒茶酚胺敏感性多形性心室頻脈，目前仍是以藥物控制為主，讓心律平緩穩定，還沒有其他更積極的治療方法。除了定期回診調整用藥狀況，更重要的是日常照護注意，如果心跳超過每分鐘一百三十下，並且持續一段時間，就要立即就診，以免出現惡性心律不整造成休克、甚至是猝死。

但透過植入皮下去顫器，就像是裝了一個監控心律狀況的機器在身上，一旦發生心室纖維顫動，去顫器就會偵測到訊號並啟動電流進行除顫，而如果出現心跳過慢、過快或停止時，去顫器也會透過電流修正心跳狀況，讓心跳恢復正常。

面對孩子像是揹了一個不定時炸彈在身上，隨時都有性命危險的可能，爸媽的憂心焦慮可想而知，但知道病因就能有對應的辦法，除了配合醫生用藥、注意日常狀況外，也開始跟醫生討論植入皮下去顫器的可能，而悅茵也在六歲時進行手術植入皮下去顫器。

從生活中累積應對經驗

對於有心律不整問題的患者，植入去顫器可以避免猝不及防的性命危險，但就像認識任何一個新朋友一樣，雙方都需要時間相互熟悉適應。

悅茵爸爸說：「她裝完一週後就回學校去上課了，但初期還是會有一些狀況需要調整。像是有一次，去顫器不明原因持續觸發啟動電擊，她雖然沒有昏倒，但後來到醫院讀取去顫器的資料，發現在那兩小時內，除顫電擊次數超過八十次。經過調整之後，到目前為止就沒有再出現同樣的狀況。」

裝上去顫器之後，悅茵還是需要非常注意身體，不論是太累、天氣太熱，或是血糖太低等因素，都有可能引發心律不整。像是有一次，悅茵跟著爸爸去買東西，她先下車走進店裡，爸爸才剛在外頭停好車要進去找她，就看見悅茵自己走出來叫爸爸，說她剛剛昏倒了。

除了避開直接讓心跳變快的激烈運動，可能引發心律不整的因素很多，每個人的身體狀況對於不同因素的反應又各有不同，不論是患者本身或者家人，都只能從生活中的經驗累積學習，持續調整應對方式。

「以悅茵的情形來看，不見得是劇烈運動，比較常出現的問題是低血糖誘發，特別是她的食量不大，在家她可能兩、三小時就會喊餓，要吃東西，後來我們就會準備一些食物讓她隨身帶著，感覺餓就可以立刻吃一點。又或者我們也發現，天氣太熱可能會讓她心跳過快，就會特別注意不要讓她體溫升高，」悅茵爸爸解釋。

隨心所欲但不逾矩

以悅茵的狀況來看，她可能一輩子都要學習如何跟自己的心臟好好相處，或許，愈小開始愈好，因為沒有人會比她自己更清楚身體的狀態，她還是可以像一般人一樣生活，只是在某些時刻，她會比其他人更快知道，自己該停下來休息一下，然後再繼續。

「我們都希望她還是可以參與正常的活動，就像是醫生不建議她去游泳，我們還是會帶她去玩水，她有時候會跟小朋友玩憋氣比賽，但如果她突然感覺不舒服了，就會立刻停下來，因為她比誰都敏銳，知道自己身體的極限在哪裡，」悅茵爸爸說，女兒平常看起來很隨興，但對於要怎麼照顧自己的身體，她都記在心裡面。

如果要說跟其他孩子有什麼不一樣，悅茵爸爸笑著說：「她有一種要享受一切的心態，要吃好的、用好的，大部分她想要的都可以得到。」對於從小就受到疾病影響生活的悅茵而言，在與自己的心臟相處的過程中，她似乎也有一種「隨心所欲不逾矩」的瀟灑。

「她最大的興趣就是吃好吃的東西，但她吃的時候速度也會變得很快，有陣子喜歡吃蝦子就會連續一直吃，吃到不想吃為止，之後就真的再也不碰，」悅茵爸爸談起女兒的「隨心所欲」，有種「真是拿妳沒辦法」的無可奈何，嘴邊也許掛著一抹苦笑，但心裡卻是清楚的，這孩子正在用她的邏輯過人生，像是有陣子悅茵特別喜歡千層蛋糕，就會到處去找好吃的千層蛋糕，但吃過了、吃夠了，就滿足了，也就不會再想了。

悅茵的爸媽都是生醫相關背景，兩人從小到大的成績都很好，但看到悅茵的成績表現，悅茵爸爸豁然地說：「我們兩個成績一直都算不錯，看到她的成績，真的會讓人昏倒，不過這也是後來我們自己調整心態。現在，我們不會要求她把作業做完，或者考試要考幾分，課業上，我們大概會用打五折的標準去要求她，但在生活行為上，我們頂多就是打個八折，還是有一定的要求。」

悅茵是個活潑的孩子，到學校去，遇到認識的老師，她會跑去主動打招呼問好，「她從很小坐在嬰兒車裡面時，就會東張西望看外面的世界，我們叫她跟路人打招呼，她就會跟人家玩起來，」悅茵爸爸回憶。

當一個活潑的孩子，突然有了不能做很多事的限制，可以想像她一開始會有多麼不習慣，但悅茵似乎找到了另一種方式，在外人眼中看來的孩子氣，其實是她在這些有形的限制下，還能夠讓自己生活開心的小確幸。

鍛鍊出生命韌性

儘管悅茵現在年紀還小，但談到未來，悅茵爸媽都有很清楚的想法，「知道病因，問題會是什麼，會有什麼樣的結果，就會去想各種預防方式，盡量讓她的生活正常。而我們想的比較遠的是，她長大之後要做什麼樣的職業、可以有什麼樣的生活選擇，以她的身體狀況，很容易就什麼事都不用做，因為那樣最沒有風險，但我們不希望她變成那樣，希望她在人生的過程中能夠有成就感，在生活中有自己願意努力的重心。」

對於悅茵的基因遺傳疾病會不會影響她以後的婚姻家庭，悅茵爸爸想得更遠：「我都跟她說，結不結婚都沒有關係，如果想生小孩可以生，醫學會進步，我們也有經驗可以照顧，畢竟養育孩子是人生中很珍貴的經歷，我們希望她還是有機會可以選擇。」

在爸媽眼中的悅茵，因為身體的關係，格外需要被關注照顧，也可能因此會有比其他孩子多一點任性而為的性格，但在悅茵發病之後的這幾年，悅茵一家三口卻也鍛鍊出過去沒有的生命韌性。

那是一種近身見識過生命無常的瞭然，也是從現在開始，就要為未來人生先做好規劃準備的未雨綢繆。所謂韌性，是因應面對變化的能力，更是承受變化的能量，而悅茵一家三口這個團隊，面對生命交付的這項特別任務，已經準備就緒。

（文／陳慧玲）

鼓舞每一顆心

台大兒童醫院心臟科主治醫師 **邱舜南**

悅茵現在還小，但她已經知道自己的身體與其他人不一樣，我記得，有一次她發作是因為跳舞，而她是一個喜歡跳舞的孩子，當我們告訴她，以後跳舞盡量不要太激烈，我不確定她是不是知道「不要太激烈」是什麼意思，但我知道，聽到自己又多了一項不能做的事情，她不太開心。

像悅茵這樣的孩子，在小時候都還可以透過爸媽與家人的注意，維持正常服藥控制心律的狀況，但我們在門診比較常遇到的狀況是，到了青少年階段，有些孩子開始因為一些因素不好好吃藥，但這會增加心律不整發作的機率，造成風險。有些孩子是發作過後，知道自己的身體需要被好好照顧、有些事情是不能開玩笑輕忽的，才會開始好好配合治療。

悅茵罹患的兒茶酚胺敏感性多形性心室頻脈，是屬於離子通道基因異常，過去受限於基因檢測技術，許多病例都未被發現，但隨著基因檢測技術持續發展，像悅茵這樣被檢測確診的孩子，就可以及早發現，透過藥物、皮下去顫器等醫療手段給予支持，降低突發性心律不整的風險，也讓他們能夠維持一定品質的正常生活。

面對這類型的基因性疾病確實需要長期抗戰，但與其說是跟疾病對抗，更應該說，要學著怎麼跟自己的身體和平共存、好好相處。

3 研究數據裡的真實人生

瀚霆沒讓心臟病定義他的人生，

念完醫學院、當醫生、成家立業，

還有一個健康可愛的兩歲寶寶，

身為一個「數據」，

他正在用人生參與見證醫學的進步。

「我曾經當過體育股長，因為我有心臟病，」開朗的瀚霆說自己在國中時最酷的一件事，就是被同學選為體育股長，這是一班頑皮男生一起搞怪的結果，最不守班規的人被選成風紀股長、最不愛打掃的人當選衛生股長，而最不能運動的人，自然就非當上體育股長不可了。

說起國中死黨想出來的怪招，瀚霆忍不住笑出聲來：「他們都知道我心臟有問題，可是沒有人真的把我當病人，但選我當體育股長，也真的是太絕了。」

這是三十五歲的瀚霆，身高一百八十公分，是一位家醫科醫師，兩歲孩子的爸爸，也是一位「法洛兒」。

給孩子和自己一個機會

法洛兒——這個聽起來可愛的暱稱，是指一群在出生後甚至出生前，就被確診罹患先天性心臟病法洛氏四合症的先天性心臟病兒童。根據資料統計，在先天性心臟病中，法洛氏四合症大概占了其中七％至一〇％。

大部分罹患先天性心臟病的孩子，都在年紀很小的時候就被發現心臟有問題，儘管必須經歷手術或治療，但多數孩子都不記得那段生病的過程。對這群孩子而言，關於生病的記憶，大概只剩下手術治療在身體上留下的痕跡，以及從家人口中知道的片段。

包括法洛氏四合症在內的許多先天性心臟病，曾經是非常難醫治的疾病，許多心臟病孩子就算存活長大，也可能無法過上正常人的生活。即使是現在，許多媽媽在孕期檢查出胎兒有心臟問題，也會痛苦掙扎要不要留下孩子，因為就算知道醫療技術已有極大的進步，還是會忍不住擔心：「這孩子將來能夠過著正常人的生活嗎？」

看到瀚霆的故事，讓在中華民國心臟病兒童基金會擔任輔導師多年的王美慧印象深刻：「有些爸媽在做完高層次超音波之後，發現孩子有先天性心臟病，就會到基金會來詢問，最常被問到的，就是未來會遇到哪些問題、有沒有辦法可以照顧，但我想跟這些爸媽說，請給孩子一個機會，也給自己一個機會，因為以現在的醫療技術，大部分先天性的心臟問題都是可以處理的。」

父母、家人的擔心是必然的，但這些孩子的人生，其實就與世界上的其他人一樣，各有曲折也各有風景，每一步，都有來到這世界要實現的意義。

爬行比賽的意外發現

一般人對先天性心臟病兒童的印象都是瘦瘦小小的，瀚霆說：「大部分人都認為，有心臟病的孩子長不高、長不胖，但我完全不是，雖然還不到『米其林』等級，但就是一般的胖寶寶，雖然有時爬一爬會有點喘，但我媽以為那是因為我太胖了。」

講到這一段，瀚霆哈哈大笑說，自己小時候完全看不出來有心臟病，反而是因為太活潑好動，才會被家人帶去參加寶寶爬行大賽。

「我是在寶寶爬行大賽體檢的時候，被醫生發現心臟有雜音，後來才知道我有法洛氏四合症。」也因此，瀚霆在兩歲時接受了矯正手術，修補心室中膈缺損與主動脈跨位的問題。

以上這些過程，多半都是從媽媽口中聽來的，瀚霆自己其實都不記得，患有「心臟病」這件事，對小時候的他而言，或許只有媽媽不時叮嚀的一句：「不要玩得太激烈。」

問瀚霆何時知道自己曾經動過心臟手術，他說自己直到國小才知道，因為體育課會被交代不要做劇烈運動，「我其實還滿開心的，因為可以不用那麼累，這樣聽起來我是不是很懶？哈哈，但後來我還滿喜歡游泳的，但不是競賽那麼激烈，可以自己調整節奏。」

瀚霆在兩歲做完矯正手術，因為之後不需要長期服藥，讓他不太覺得自己與其他人有什麼不同，相較於小學六年都當班長的模範生光環，「先天性心臟病」這個標籤，在他身上模糊到幾乎看不見，只有偶爾去遊樂園時，看到遊樂設施標示上寫的「心臟病患者不宜搭乘」，才會讓他想起自己有一顆跟別人不太一樣的心臟。

同樣的擔心

「你會告訴同學或朋友心臟手術的事嗎？」聽到這個問題，瀚霆靦腆地笑說，「盡量不會。」

身體狀況原本就是個人隱私，如非特殊必要，一般人也不會隨意分享告知。而對於從小罹患疾病的患者而言，在成長過程中，特別是在發展長期關係時，每個人都有自己的一套邏輯。瀚霆說：「我是比較害羞、比較在意隱私，所以盡量不主動說，有些朋友相處夠久，自然會知道。但我的想法是，如果我身體的問題對彼此的相處沒有任何影響，那就不用特別提。」

儘管如此，在現實生活中還是有一些狀況，必須要讓對方知道並理解自己的身體狀況，例如結婚。

瀚霆與太太是大學同學，醫學院同窗七年，自然知道他的身體狀況，兩人交往多年後決定互許終身，但問題來了，要怎麼讓娘家人能夠放心把女兒交給他？也因為兩人交往多年，瀚霆原本就和女友的家人常有互動，但交往是一回事，真的要結婚組成家庭，將心比心，身為女方的家人，確實很難不擔心。

瀚霆說自己很幸運，因為當時的女友、後來的太太會幫他去跟家人溝通，而更幸運的是，太太跟他一樣也是醫生，可以更清楚說明醫學問題。

家人的擔心都是一樣的，會想知道以瀚霆的身體狀況能否承擔照顧家庭的責任，又或者壽命是否會受到影響等，但這些問題，有些是既有醫學上已經有答案，但有些還存有不確定性。

「我那時還特別問醫生，想知道有沒有數據可以了解法洛氏四合症患者的存活率，我記得醫生跟我說，現在看來，只能說大部分患者都能順利長大、正常生活，至於存活率則還沒有確定的結論。但醫學在進步，研究也持續進行，每一個患者都是一個數據，我自己就是其中一個，」瀚霆說。

一百年前的法洛兒們，可能要與疾病奮戰終身；一百年後的現在，許多像瀚霆一樣的法洛兒不但能夠平安成長，更可以正常生活，與所有人一樣，全力追求自己的幸福與成就。儘管醫學上還有許多不確定的答案，但活在當下，卻是這群孩子最真實的人生，就如同瀚霆所說的「我現在也是其中一個數據」，每一個數據背後，其實都是一個真實的人生。

限制你的不是病而是心

看過許多先天性心臟病孩子一路成長的過程，王美慧說：「以現在的醫療技術來看，許多先天性心臟病都可以透過矯正手術改善，但不可否認的是，也有一些法洛兒是選擇完全宅在家，他們都用『我有心臟病』當理由，把自己關在家裡。」

「我要說的是，心臟病不會限制你，只有你的心才會，」王美慧有感而發。

瀚霆對於自己人生的追求，有著清楚堅定的定見，他沒讓心臟病定義他的人生，念完醫學院、當醫生、成家立業，還有一個健康可愛的兩歲寶寶，身為一個「數據」，他正在用人生參與見證醫學的進步。

許多法洛氏四合症患者在小時候接受過矯正手術，但隨著年歲漸長，最常出現的狀況就是瓣膜退化，必須進行瓣膜置換手術，改善血液逆流問題，否則一旦持續演變為不可逆的狀況，就會造成心臟肥大。

瀚霆是在二十五歲時發現自己的心臟可能會「變大顆」，他說：「因為定期回診檢查的關係，發現我有肺動脈瓣膜逆流，這原本就是小時候矯正手術無法完全修復的部分，但隨著使用的時間愈久，就會出現問題。」

由於瀚霆的肺動脈瓣膜出現問題，因為肺動脈連結的是右心室，若血液逆流回右心室，就會讓本來是單行道的動脈變成雙向道，如果上游一直打入新的血液，本該流出去的血又流回來，心室容量會瞬間變大並且被動地愈撐愈大，心臟愈大顆就愈沒有力量，而他的右心當時正在持續擴大中。

原本瀚霆打算盡快進行手術，甚至為此空出一年的時間。雖然當時已經可以用心導管進行手術，但受限於還沒有合適尺寸的生物性瓣膜，在與醫師討論後，直到三十歲才真正進行手術。

完成手術後，醫生告訴瀚霆，現在的身體狀況比過去更接近正常，可以去做一些以前不能做的運動。

儘管生物性瓣膜通常有一定的使用期限，未來仍需要再度接受更換瓣膜手術，但瀚霆說：「剛開始我其實有一點擔心，但想到科技會一直進步，現在擔心也沒有用，就像當初我本來應該是要開胸的，現在只要用心導管就可以手術，四、五天就能回去工作，不就是科技進步的結果嗎？」

實現生命價值

在採訪過程中，可以感受到瀚霆的開朗樂觀，在旁人眼中，他無疑是幸運的法洛兒，但不可否認的是，先天性心臟病是他生命中必須被注記的重要事項，也讓他有更多不同的體悟。

在選擇醫學專科的時候，瀚霆考慮過很多不同的因素，最後才選擇家醫科，當被問起為什麼沒有選擇心臟科，瀚霆笑笑地說：「因為經過專業訓練後，愈來愈知道自己要什麼，心臟科醫師其實是很辛苦的，必須要快速做出精準判斷，才能夠及時救回病人一命，可能會常遇到病患臨時有狀況需要緊急處理，比較難清楚劃分工作和私生活的時間，必須把病人擺在自己的家人之前，但對我而言，醫學是我的興趣，但在人生的規劃上，家人才是我的最大考量。」很簡單的一段話，是瀚霆用他的方式，認真實現生命價值的選擇。

（文／陳慧玲）

鼓舞每一顆心

台大兒童醫院心臟科主治醫師 **邱舜南**

我們從二〇〇七年開始，針對法洛氏四合症患者術後長期可能出現的瓣膜逆流問題進行追蹤，因此聯絡上當時正在念醫學院的瀚霆，他那時還沒有任何明顯的症狀，只感覺體力似乎有變差，但在經過檢查後，發現他有心律不整的狀況。之後，瀚霆恢復定期回診追蹤，在二十五歲那一年，發現有右心室擴大的狀況，便打算進行手術，適巧當時剛開始有心導管瓣膜置換手術，他透過參加人體試驗計畫，在三十歲進行導管手術進行瓣膜置換。

許多心臟病孩子可能在開完刀一段時間後，因為身體沒有出現特別的狀況，又或者醫生沒有特別叮囑回診時間，就逐漸停止回診，但其實患者還是必須養成定期回診的習慣。

對先天性心臟病患者而言，現在的手術醫療已相當進步，即使是較為複雜的法洛氏四合症，也能透過一般手術或導管手術來處理，許多患者都還是可以維持正常生活。

台大兒童醫院心臟科主治醫師 王主科

法洛氏四合症患者在手術後大多可以維持很長一段時間的正常生活，但因為肺動脈的問題，有些患者是在一次爬山或運動過後突然覺得不舒服，一來求診就發現右心室擴大。

大部分法洛兒至少都開過一次刀，每次開刀都是很折騰的事，後來有了心導管手術，但因為健保不給付，可能還需要通過臨床試驗審核才能做，而現在健保可以給付導管手術，對於許多法洛兒就有很大的幫助，只要十二歲以上、體重三十公斤以上的孩子，就可以用導管手術進行瓣膜置換，讓這些孩子不用再受開胸手術的痛苦。

瀚霆的例子，對法洛氏四合症的孩子是很好的鼓勵，他很陽光、很開朗，還可以讀完醫學院，成為非常優秀的家醫科醫師，這對於許多先天性心臟病的孩子都是一個鼓勵。以法洛氏四合症這樣相對複雜的心臟病來看，他都可以擁有一個正常健康的人生，特別是在完成導管手術置換瓣膜後，我就跟瀚霆開玩笑說：「你現在除了不能打職業球隊以外，什麼都可以做。」

4 不斷前進的愛

對於偲菲和家人而言，

他們不只是在原地等待，而是繼續往前走，

偲菲媽媽一直都在幫偲菲設立目標，

從小目標到大目標，

一步一步前進。

接受採訪的那天，倢菲媽媽拿著幾張紙，上面密密麻麻的寫滿倢菲生病治療的過程。

「我有很長一段時間不想談這件事，因為那是一個傷口，但如果我們的故事能夠給其他人一些力量，我願意、也有勇氣說出來」，「如果透過我的分享，可以提醒家長注意到孩子的狀況，能夠及早去看醫生，也許就能幫助到更多家庭。」這些話，倢菲媽媽是笑著說的，但在她的笑容裡，藏著一段曾經再也不想提起的故事。

難被理解的痛

「那時候很多人傳訊息叫我加油，但我只想說，不要再叫我加油了，我已經非常努力了，我需要的不是加油，而是一顆心臟！」在倢菲剛生病的那段時間，很多親戚朋友發訊息、打電話給倢菲媽媽表達關心，「很多訊息我都沒有回，因為我不知道該怎麼回，很多人問我『妳還好嗎？』但事實上，我不好啊！」

在很多人的生命歷程中，或許都曾有過這樣的時刻，那是一種無能為力的挫敗感，旁人眼中看來的不近人情，卻可能是當事人心中認為最難被理解的痛。

今年八歲的倪菲，是個剛上小學的可愛女孩，跟其他孩子一樣，她愛喝飲料，喜歡在公園騎腳踏車玩，從外表上看不出來，她在四歲的時候，因為擴張性心肌病變造成嚴重心臟衰竭，在經過一年的等待後，幸運地在五歲時完成心臟移植。

能夠等到適合的器官接受移植，對許多病人而言，原本就是日夜祈禱希望出現的奇蹟，而兒童器官捐贈移植就更為困難，因為在倪菲之前，台大醫院已經超過兩年沒有十歲以下的心臟移植案例。

對於倪菲能夠等到合適的心臟進行移植手術，倪菲媽媽很少用「奇蹟」來形容這段過程。

也許是因為，她知道奇蹟或許會發生，但在倪菲與病魔拔河的過程中，是許多人的愛陸續接力加入，讓倪菲有愈來愈大的力量，這其中包括家人的用盡全力、醫療團隊的專業照顧、捐贈者的無私大愛，以及無法忽視的生命韌性。

這是一個被生命祝福的故事，而這個故事的起頭，其實只是許多媽媽日常中都曾出現的小狀況：「我覺得孩子怪怪的。」

不太對勁的水腫

侶菲四歲那年的十一月，台南的秋天有著很舒服的天氣，侶菲爸媽像平常週末假日一樣，帶著侶菲和當時才一歲的弟弟去公園玩耍。「我那天就覺得她怪怪的，」這是當爸媽才會有感覺的細微差別。

侶菲媽媽也是如此，她發現的第一個不一樣，就是平常愛喝奶茶的侶菲，那天居然沒喝幾口就不喝了，而且整個人都懨懨的，後來幾天，平常食欲很好的侶菲也都不太吃飯。

侶菲媽媽把心中的擔憂向先生說：「我覺得侶菲怪怪的。」這樣的對話其實很常出現在一般父母之間，有些人可能會認為自己是不是想太多，因為孩子還是活蹦亂跳，除了胃口不好，也沒有什麼不一樣。

但又過了幾天，俋菲的臉腫起來了，就像是大人的水腫一樣，其他人也看不太出來，但這次俋菲媽媽決定不再只是擔心，而是直接去看醫生。

帶到家附近的診所，醫生安慰媽媽不要太擔心，先觀察一下就好。但俋菲媽媽就是覺得孩子不太對勁，再去另一家區域醫院看診，醫生聽完俋菲媽媽敘述那些「怪怪的」狀況，很快就安排了一系列檢查，一照X光就發現俋菲的心臟異常，立刻要俋菲媽媽帶俋菲去大醫院做檢查。

在牽著俋菲走進醫院時，俋菲媽媽完全沒想到會有多嚴重，身旁的俋菲跟平常一樣，會跟媽媽說話、撒嬌，看到有趣的東西還是會興奮地說個不停。但在做完心臟超音波，醫生的第一項醫囑就是送加護病房，因為俋菲已經心臟衰竭。

「這是我很想跟大家分享的重要經驗，因為那時候俋菲都還能走，跟平常一樣，沒有任何症狀，但一進去就被宣布是心臟衰竭，我當場就哭出來，不知道為什麼會是這樣，」俋菲媽媽聲音啞啞地說著，翻滾的情緒像是從原本已經妥妥收好的記憶中被翻找出來，當時的凌亂慌張還歷歷在目。

佀菲媽媽說：「我想告訴所有的爸媽，如果發現小孩有什麼不一樣，就要立刻帶去看醫生，如果看完醫生還是覺得不對勁，一定要再去尋找其他專業意見，因為沒有任何人比你更清楚孩子的狀況。」

檢查結果出來，佀菲是因為擴張性心肌病變造成心臟衰竭，最常見的原因是心肌炎，但佀菲並沒有明顯的心肌炎症狀，也沒有其他特殊家族病史。

佀菲媽媽說：「我當時想了很久，唯一想到的可能是，佀菲弟弟在幾個月前得過腸病毒，佀菲那時候雖然有發燒，但並沒有被確診，只不過，這也都只是我們自己的推測，因為做完所有檢查還是沒有找出真正的原因。」

究竟是為什麼？

在中華民國心臟病兒童基金會幫助過許多心臟病童與家庭，同時也在過去幾年參與協助照顧俋菲的輔導師黃莉雯就表示：「根據研究，造成擴張性心肌病變的原因包括身體缺乏一些特殊元素，或者是曾經罹患心肌炎而不自知，導致心臟處於慢性發炎的狀態，等到發現有問題，就演變為擴張性心肌病變，但有很多病例是屬於原因不明，俋菲的狀況就是如此。」

「或許很多人以為，兒童心臟病多數屬於先天性遺傳疾病，但還有一些是後天造成的心臟疾病，也特別需要被重視，隨著醫療診斷的持續進步，許多過去沒有被注意到的狀況，現在都是可以被診斷發現、給予及時治療的，」過去十年一路看著台灣兒童心臟病個案的變化趨勢，黃莉雯有感地提出她的看法。

俋菲被推進加護病房後，除了注射免疫球蛋白外，強心劑更是沒停過，直到十天後才轉到普通病房。普通病房住了三天，醫生就讓俋菲出院了。

帶著一個外表與活動力都很正常的孩子出院回家，在旁人眼中應該是開心的事，但沒有想到，原本還能走能跑的俋菲，離開醫院不到二十四小時，卻是呼吸微弱、半昏迷的被媽媽抱著奔進急診室急救。

「因為她平常最喜歡騎腳踏車，我原本只是想讓她開心，就帶她去騎了一下，」想起當時的情景，俋菲媽媽還是很自責：「後來護理師才告訴我，心臟有問題的小孩要避免這樣的運動，但我當時根本不知道，只想著醫生既然讓她出院，應該就不會有太大的問題。」

對於當時醫生的決定，俋菲媽媽坦白：「我後來一直都不能諒解，醫生為什麼會讓我們出院，因為俋菲那時候應該還是很危險的狀態，更可怕的是，我們當時並不知道這會有多危險。」直到現在，俋菲媽媽的情緒還是很複雜，「我會盡量不要那麼情緒化地去想這些事，但很困難。」

在孩子生病的過程中，許多家長都會有類似過不去的情緒，有些是「為什麼當時醫生會這樣處置？」、有些是「為什麼我沒有早一點發現？」，更或者是「這到底是誰的錯？」

如同俋菲媽媽所說，在事情發生的當下，很難不帶著情緒去看這些問題，但疾病的變化多端經常讓人措手不及，在情緒與理性的拉扯間，首先必須要能夠安住自己的心，才能做出正確的決定。

後來侶菲再住進加護病房，一住就是一個月，在和醫療團隊討論後，侶菲爸媽決定將侶菲轉到台大醫院，因為當時的侶菲只剩下心臟移植這條路。

等待心臟移植是一大考驗

從台南到台北，長達四小時以上的路程，一路上侶菲都還是清醒的，但爸爸媽媽都知道，這將是侶菲生命中最關鍵的一段路。

「在台大醫院治療的那幾個月，侶菲還不會說自己哪裡不舒服，只是會說『痛痛』、『我不要』之類的，也一直都吃不下，因為要打強心劑，但小孩的血管很細，每次換針都很崩潰，常常是她哭、我也跟著哭，」侶菲媽媽回憶，「很感謝台大兒童醫院加護病房的護理師們，她們幫了很多忙，讓我可以陪著侶菲，可以安撫她，讓她不那麼害怕。」

「俋菲轉到台大醫院確認病況後，進行心臟移植評估，確認可以進行心臟移植，但必須用藥物維持心臟功能，像是給予強心劑、利尿劑等。而等待心臟移植，對許多病人與家屬而言，彷彿是沒有盡頭的等候，像俋菲是透過藥物維持，可以有一定程度的活動力，但有些孩子可能要裝心室輔助器甚至是長效型人工心臟來維持，」輔導師黃莉雯補充，「不論是哪一種狀況，對孩子和家庭都是很大的考驗，在生理上、心理上、經濟上都是，而心臟病兒童基金會就是希望從不同面向提供幫助與陪伴，幫助孩子與家人能夠共同度過這段困難的時期。」

設定目標，一點一點的進步

而對於俋菲和家人而言，他們卻不只是在原地等待，而是繼續往前走，俋菲媽媽一直都在幫俋菲設立目標，從小目標到大目標，一步一步前進。

俋菲媽媽說：「在台大兒童醫院加護病房住了兩個月之後，我問醫生有沒有可能讓她帶著強心劑去住普通病房，因為那裡有一扇窗，我想讓她看窗外的風景換個心境，每次我都勇敢地跟醫生做各種討論，就是想試試看各種不同可能性，讓侶菲一直有進步。」

從出加護病房到出院等待心臟移植，侶菲和媽媽跟台大兒童醫院醫療團隊共同努力了幾個月，不斷調整治療方案，從一點一點把強心劑減下來，到讓侶菲有體力可以走出病房、有體力走更久一點，即使在減少強心劑劑量的過程中，侶菲會忍不住跟媽媽說：「再加一點，不要吐吐。」而侶菲媽媽會鼓勵她：「妳最棒了，妳叫小人（點滴瓶的標記）不要跑，妳自己跑就好了。」

過程是艱辛的，但侶菲和媽媽做到了，二〇一八年四月，在醫生的同意下，侶菲出院等待心臟移植，但侶菲和媽媽沒有回台南，而是在台大醫院附近租了一個小套房住下來。

出院之後，侶菲和媽媽又有了新的目標，就是要把每天吃的藥量降下來。

「那時候每天要吃十幾種藥，我希望讓侶菲維持在很好的體能狀況，也讓其他器官的狀態維持得很好，像在醫院一樣，每天記錄食物與排泄的進出量、血氧、心跳、血壓等，每次回診就帶著這些資料去跟醫生討論調整計畫，如果有達成目標，我們就會很開心，」這是住在小套房裡的倡菲和媽媽，那段日子裡的小小快樂。

八月，是倡菲的生日，媽媽帶她回到很久沒回去的台南過生日，照片裡倡菲笑起來彎彎的眼睛，看不出病痛，只有滿滿的幸福。

二〇一八年十一月，倡菲媽媽接到通知可以進行心臟移植手術。接受八小時的手術後，過了兩個月，倡菲出院了，雖然術後因為不明原因的血色素偏低，仍然必須定期回院治療，但隨著狀況逐漸改善，倡菲也在一年後順利回到台南正常生活。

不記得生病的痛，只記得愛

當孩子生病了，父母都必須無條件的堅強，但父母也是人，也有軟弱的時刻，但不會、也不應該是一個人承受，而要更像是一個團隊，必要時相互補位。

倡菲媽媽說：「我是主要照顧倡菲的人，所有的決策我都自己做，而倡菲爸爸就是傾聽、接受、支持，但他也會傷心難過、也有壓力，有時候他被我抱怨到滿出來，就會緩緩地對我說：『沒關係，要不然妳要我怎麼做，我就怎麼做。』這就是一個團隊，有時候我扛、有時候他扛，孩子生病，家人和長輩可能都會很關心，也會有很多意見，但我們兩個人就是對方的守門員，互相照應，讓對方可以專心做好該做的事。」

對倡菲一家人而言，儘管經歷過生死交關的巨變，很幸運的是他們獲得重生的機會。正因如此，包括倡菲在內，他們開始學會用不同的心態去面對人生。

倡菲完成心臟移植手術已經三年了，她其實不太記得自己生病的事，但記得有誰去看過她、送了什麼東西給她，她記得的，幾乎都是那段過程中開心的事。

倡菲知道自己與其他小孩有些不同，她要學會照顧好自己，對自己該做的事負責任，像是出門要一直戴口罩、不能吃生的食物、不能喝外面賣的手搖飲、每天都必須要吃藥等。

「我和俋菲爸爸都簽了器官捐贈卡，不只如此，我們也會照顧好身體，這樣才有可能幫助別人。而對很多事，我們也開始有不一樣的想法，像俋菲上小學時，我們就爭取學校必須購置自動體外心臟電擊去顫器（AED），」俋菲媽媽說，「過去，我們會自己出錢買，但現在我們不會，這麼堅持是要讓學校、政府、社會重視這件事，這是大家都要學會用的設備，如果發生意外，是能救人一命的。」

因為這樣的堅持，俋菲媽媽不斷打電話給民意代表與政府機關溝通，她不只是幫俋菲，而是為更多有需要的人爭取，因為她知道，就如同器官捐贈一樣，俋菲的生命不只是一個捐贈者的大愛，而是過去幾十年，許多人以實際作為推動器官捐贈的共同努力，而俋菲就是這項共同努力的受惠者之一。

俋菲爸爸和媽媽都相信，孩子也許不會記得曾經受過的病苦，但會記得曾經接受過的愛與溫暖，因為痛苦終將過去，而愛，會留下來。

（文／陳慧玲）

鼓舞每一顆心

台大兒童醫院心臟科主治醫師 **陳俊安**

當初俋菲剛轉院到台大時，就因心臟衰竭被評估需要換心，但在初步讓她穩定下來之後，我們就和媽媽一起努力，希望讓她不用一直住在醫院，因為住院對孩子影響很大。

要能讓孩子出院，最大的挑戰就是要把較強效的點滴藥物改用口服藥物取代，但在調藥的過程中會有很多狀況，甚至可能會讓狀況惡化，導致必須重頭再來，甚至是再努力從谷底翻身，這就要花更長的時間。而出院之後則要持續調整藥物，除了不要持續吃很重的藥、造成額外的副作用，也要把藥物調整到最適合的狀況，幫助心臟穩定，避免因為心臟狀況惡化，走到採用葉克膜等創傷性治療手段的地步。

俋菲的狀況一直都保持得很不錯，媽媽照顧得很好，也跟醫療團隊有很好的配合。只不過，等待心臟移植原本就是一場困難的等待，對她和家人都是非常難熬的。

我們最近剛做完一份研究，以台大醫院過去二十多年的病例來看，像她這樣的擴張性心肌病變的孩子，大概有一半需要換心，而這其中只有一半的孩子能等到心臟。

儘管經歷過心臟移植的重大生命關卡，但俋菲現在就是一個活潑樂觀的孩子，對於醫療沒有排斥或者負面的感覺，俋菲媽媽每半年回診時還是會帶她來看看我；看得出來，她已經回到生活的正常軌道上，跟一般孩子一樣。而俋菲的幸運，除了她與家人的努力，也是生命奇妙緣分的安排。

5 饅頭裡的慈母心

婷婷相信，那一次用葉克膜搶救時，

思勳已是上天的孩子了，

她和丈夫只是思勳暫時的保母。

如果他們表現好，

或許上天還願意讓孩子在他們身邊多留一些時日。

在全民健保尚未實施前，家中若有心臟病童，龐大的醫療費用絕對是個沉重的負擔。因此，基金會成立之初，即以「救命」為宗旨，透過社會善心人士的捐款，幫助這些家庭度過難關，而病童也能因此獲得生命的契機。

全民健保的實施，對於這些有心臟病童的家庭自然是一大福音。不過，在醫療過程中，仍可能有費用無法獲得健保給付，此時，基金會的補助便發揮了及時雨的功能。

像婷婷夫婦也是在基金會的幫助下，以高度的決心和毅力，陪伴孩子走過人生的柳暗花明。

廚房裡，婷婷一家人正在做饅頭。

當婷婷專心計算每個麵團的重量，丈夫偉倫（化名）則使勁地揉麵，小兒子思動就幫忙把小麵團擺在烤盤的紙片上。

由於選用天然老麵發酵，並加入多種五穀雜糧及堅果，婷婷家做的饅頭不但口感扎實有嚼勁，而且符合現代的自然養生風潮，雖然只在網路上販售，但是生意還不錯，成為家中主要的收入來源。

隨著大麵團愈來愈小，思勳總喜歡把最後一個小麵團揉成心的形狀，婷婷看在眼中不禁百感交集，這些年來，她所經歷的種種風雨，最後所渴望的，也不過就是孩子能夠有一個像正常人跳動的心。

大兒子突然發病過世

在這一家三口的和樂畫面中，其實有一個人缺席——婷婷的大兒子永擇（化名）。永擇九歲時，因為心肌病變突然猝死，由於事情來得太突然，當時所發生的一切，婷婷仍歷歷在目。

事實上，永擇在發病之前早有症狀出現，包括會氣喘、肚子痛，上學時會走不動，但是婷婷怎麼也沒有聯想到孩子身上已出現心肌病變。就讀國小三年級的他，有一天上體育課，在老師的要求下跑操場，跑完後，臉色發白，氣喘吁吁，不停地嘔吐，到後來吐出來的都是水。

婷婷趕緊將孩子送到附近的醫院，最初診斷是肺炎，後來照X光，發現永擇心臟腫大得不尋常，趕緊轉送榮總，住進加護病房。當時永擇的意識還很清醒，可以坐著看護士為他放的卡通片《石中劍》。由於家屬不能待在加護病房，婷婷只好先回家，豈知那竟是她最後一次見到永擇。

回家後，婷婷便覺得心神不寧，坐立難安。就在接近午夜時，她接到醫院來電，通知她孩子狀況惡化，正在急救中。婷婷和偉倫趕緊開車直奔榮總，她急得像熱鍋上的螞蟻，路途上的每一分鐘都顯得無比漫長。

趕到醫院後，沒多久，院方就告訴她，永擇急救無效，已經往生，在噩耗的打擊下，婷婷眼前一片空白，完全不知道後來發生了什麼事。

從那天之後，在婷婷眼中，整個世界都失去了色彩。

痛失愛子的她，整個人變得有點異常，耳畔老是縈繞著靈堂上誦唸佛經的聲音，晚上完全無法睡覺，一躺下去，眼睛就瞪著天花板，等待天亮。

忘了還有一個孩子

其實，婷婷當時已有憂鬱症，喪子的椎心之痛更讓她的人生陷入混亂中，不但跟丈夫關係惡劣，由於滿腔情緒找不到出口，於是就發作在小兒子思勳身上。

原來，在兩個兒子中，相較於調皮搗蛋的思勳，婷婷一直特別疼愛乖巧聽話的永擇，對他的功課要求特別嚴格，考試成績只有一個標準，就是一百分，望子成龍的心情不言而喻。面對老天爺奪走她最心愛的永擇，婷婷將她的憤怒轉移到思勳身上，在「為什麼是哥哥而不是你」的複雜情緒下，婷婷只要一看到思勳就罵他，將他趕離身邊。幸虧，當時思勳就讀的幼稚園園長提醒了婷婷：「不要忘了，妳身邊還有一個兒子。」

婷婷這才清醒過來，她一直思念已不在世間的永擇，卻忽視就在身邊的思勳，這對孩子是多麼大的傷害。畢竟，思勳才是她現在唯一的兒子。

為了讓失序的人生重新步上軌道，婷婷去看了精神科，接受治療。婷婷告訴自己，一定要克服難關，讓傷痕累累的自己和這個家重新再站起來。

走上換心一途

有了永擇的前車之鑑，為了避免思勳重蹈覆轍，婷婷帶他去榮總做超音波檢查，發現他的心臟的確有二尖瓣逆流的問題，需要每半年定期追蹤。

由於永擇是在國小三年級時發病，婷婷一直很擔心，思勳會不會也在相同的年紀發病，而兄弟倆果真命運相仿。思勳就讀三年級時的某一天，也開始出現肚子痛、冒冷汗的症狀，而且就跟永擇的狀況一樣，一發病就來勢洶洶。婷婷將孩子送到台大就診，一到診間就被要求馬上住院，而且立刻開始施打強心針，狀況危急。婷婷再次慌了手腳，就怕老天爺連她唯一剩下來的兒子也要帶走。

經過外科醫師的會診，結論是思勳的心臟已不堪使用，想要讓孩子活命，只有換心一途。

接下來的歷程，對婷婷來說，又是另一種內心煎熬。要換到一個適合思勳的心，談何容易！進入等待名單之後，要等多久？能不能等到？誰也不知道。而且想到必須是另一個人離開世間，才可能把心臟捐出來給思勳，婷婷不禁又心生罪惡感。另一方面，眼見思勳在住院等待換心的過程中，心肺功能愈來愈差，前後還發生兩次小中風，更讓婷婷心疼不已，她只好不停地向上天祈禱，讓思勳能夠等到他需要的那顆心臟。

終於在住院四個月後，思勳等到了心臟，婷婷夫婦當下就像中了樂透那麼開心。然而，雀躍的心情沒能維持多久。換心之後的思勳彷彿變了一個人，眼睛直瞪著前方，不理爸爸媽媽，不吃東西，也不開口說話，甚至還會大小便失禁，嘴巴不停地咀嚼，口水流個不停，後來甚至昏迷長達兩個星期。

對於孩子手術後的異狀，醫師們一時也查不出原因，推測可能是因為在低溫麻醉的過程中傷到了腦部。

婷婷沒想到，換心手術之後，居然連原本熟悉的孩子也不見了，她把所有的責任都歸咎在自己身上——都是我的錯，若不是我要他換心，也不會發生這種狀況——在思勳昏迷期間，她食不知味，連水也不想喝，任旁人怎麼勸，她仍深陷在自我懲罰的負面情緒中。

後來，台大小兒神經科范碧娟醫師找出思勳的問題。原來是他在手術後腦部不正常放電，造成癲癇大發作。經過藥物注射，思勳眼神恢復了，嘴巴不咀嚼了，也會喊媽媽了，心頭大石落下的婷婷，一直緊繃的情緒突然放鬆，整個人幾乎癱軟無力，此時才開始感覺到飢餓。

對於像思勳這樣的心臟病童，換心雖是救命的唯一途徑，但是換心手術之後並不代表危機就此解除，還得看這顆移植的心臟跟新主人能否投緣，也就是會不會發生排斥。

緣分不深的新心臟

很不幸地，思勳跟這顆新心臟似乎緣分不深，不到半年，孩子又開始呼吸急促、身體疲累，經常會有走不動的感覺。

最讓婷婷心驚膽顫的是，孩子會在半夜突然喊痛，隨即臉色發黑，沒了呼吸，必須趕緊進行CPR（心肺復甦術）急救，才能讓思勳恢復生命跡象。這樣的狀況連續發生了好幾個月，而且愈來愈頻繁。

對於孩子到底該不該進行第二次換心手術，連醫療團隊都有不同的意見：一方認為心臟得來不易，應該再使用久一點；不過也有另一方擔心思勳的心臟就像是不定時炸彈，隨時都可能發生危機，應該盡早再換一顆心臟。

那一年的十二月，思勳發生非常嚴重的休克，連CPR都失去效果，婷婷只好將思勳送往台大醫院緊急插管，甚至接上葉克膜來搶救孩子的生命。

由於狀況危急，婷婷心中已做了最壞的打算，當孩子和醫護團隊跟病魔纏鬥時，她在心中默默地與上天對話：「您又要把我的孩子接走了嗎？如果您要帶走，請您完整地帶走；如果要留下來，也請您把孩子完整地留給我。」

或許是冥冥之中，上天真的聽見了婷婷的心情，根據醫師的經驗，像在這樣的狀況下把孩子搶救回來，相當不容易，但是卻成功了，連經驗豐富的周迺寬醫師都直呼：「奇蹟！奇蹟！」

上天與孩子的約定

第一次移植的心臟顯然已經無法使用，必須立即安排第二次換心手術。這次思勳運氣不錯，沒多久就等到心臟，不過在簽手術同意書時，醫師提醒婷婷，由於醫療資源珍貴，一個人一生中至多只有兩次換心的機會，如果思勳這次換心後又發生任何狀況，就只好放棄了。

聽了醫師這番話，婷婷想到孩子的生死就在自己的簽與不簽之間，一時之間又陷入歇斯底里，醫師趕緊請移植手術的召集人曹傳怡醫師前來安撫婷婷的情緒。曹傳怡開導她不要往壞處想，要給孩子一個機會，因此婷婷雖然心慌意亂，最後還是簽字了。

相較於第一次換心手術後的波折，思勳第二次手術順利多了，手術第三天就轉到普通病房，一週後便出院了。

從永擇過世，到思勳做完第二次換心手術，做為一名母親，上天給婷婷的磨難大概超過常人所能承受，而她也咬緊牙關挺了過來。

思勳移植的第二顆心臟到底能夠支撐多久，誰也沒有答案，而婷婷相信，那一次用葉克膜搶救時，思勳還能在這世間活多久，上天應該已經跟孩子做好了約定。如今他已是上天的孩子，她和丈夫只是思勳暫時的保母，如果他們表現好，或許上天還願意讓孩子在他們身邊多留一些時日。

對於早夭的永擇，婷婷當然還是充滿思念，不過她也省思自己過去可能對孩子的要求太高了，永擇累了，所以要先走一步，他用捨棄自己生命的方式，換得婷婷最後的幡然領悟，因此婷婷對他充滿了感激。

手工特製的愛心饅頭

手術後，為了讓孩子好好休養身體，全家搬回了環境清幽的老家石碇。由於思勳必須長期服用抗排斥的藥物，對腎臟會形成莫大的負擔，因此在飲食上必須非常小心。除了要低鈉、低鹽、少糖、少油，更重要的是得嚴格限制蛋白質攝取量。

然而，發育中的思勳又需要相當的熱量，嚴格限制飲食也可能導致他營養不足，像思勳曾經體重直落五公斤，嚇壞了婷婷夫婦。

所幸偉倫開過早餐店，對做吃的很有一套，他以玉米粉、地瓜粉取代蛋白質較高的麵粉，再加上五穀雜糧和堅果，製作出低蛋白、又能滿足孩子熱量需求的愛心饅頭。

由於思勳前後動過兩次換心手術，加上多年頻繁進出醫院，醫療方面的開銷不小，雖然獲得心臟病兒童基金會五十萬元的補助，不過後來全家搬到石碇，夫婦倆都沒工作，總不能坐吃山空，於是靈機一動，將做給孩子的愛心饅頭放在網路上販售，口耳相傳下，漸漸打響了知名度。

當熱騰騰的饅頭從烤箱中取出來，思勳總是能夠大快朵頤。婷婷看著孩子開心吃饅頭的模樣，內心就感到很欣慰，未來會發生什麼事，她不願多去揣想，只要這一刻，全家人能活得快樂就夠了。

（文／謝其濬）

鼓舞每一顆心

台大兒童醫院特聘教授 **吳美環**

思勳的媽媽帶著愛心健康饅頭來到門診和大家分享，彷彿訴說著思勳一家人的故事。與許多重症孩子的父母一樣，思勳的爸爸媽媽永遠撐著自己，支持孩子向前走。很堅強，但也叫人心疼。

思勳是個很惜福懂事的孩子，常常看到他忍著病痛靠在媽媽身邊，每次都想告訴他：「要加油！你不是孤獨的。」卻又怕看到思勳媽媽掉出眼淚。

謹在此向思勳的爸爸媽媽和思勳說，愛是很神奇的凝聚劑，你們一家人好棒，也讓我們學習到這份悸動，讓我們一起努力吧！

6 陪妳到最後

每次要讓欣宜動開心手術，

瑛娟的內心都充滿掙扎。

不動手術，孩子形同坐以待斃；

若想延續生命，孩子就得飽受屢次開刀之苦。

然而，身為母親，她沒有其他選擇。

「請幫我，我想活下去。」是每個心臟病童共同的心聲，也是基金會成立的精神與動力。

除了幫助病童，長期以來，基金會的顧問醫師及輔導員，陪伴家長度過每一次開刀與漫長的治療，一直扮演著他們的精神盟友，讓他們知道，自己並不孤單。

二月，對於瑛娟一家來說，是個特別的月份。小女兒欣宜的生日是二月十二日，同一個月裡，還有哥哥和爸爸的生日，哥哥現任女友的生日也在二月。

欣宜生日那天，全家人到餐廳聚餐慶生。巧克力蛋糕上，插著一支象徵性的蠟燭，燭光中，映著欣宜純真的臉龐，瑛娟心中百感交集，曾經在加護病房中危在旦夕的小生命，如今已經是十九歲的少女了。

幸運之神，曾經對瑛娟是多麼眷顧。與所愛之人結為連理，丈夫事業有成，兒女課業優異，幸福美滿的生活讓人羨慕不已。間隔十年，瑛娟意外地又懷了欣宜。

從心雜音發現先天性疾病

欣宜九個月大時，瑛娟帶她去醫院打預防針，本以為是再平常不過的例行公事，沒想到從那天開始，瑛娟和欣宜的世界完全變色了。

醫師為欣宜檢查時，發現她有心雜音，判斷她可能罹患先天性心臟病，建議到大醫院再做檢查。因為狀況來得太突然，瑛娟抱著高度的懷疑，先後帶欣宜到兩家私立的醫學中心，結果都判斷欣宜患了非常複雜的先天性心臟病，甚至還有醫師提醒瑛娟，如果不盡早開刀治療，孩子可能活不過一歲。

得知噩耗，瑛娟根本承受不住，她背著孩子在街上慌亂地走著，淚如雨下，完全不知道自己是怎麼回家的……

做了心導管檢查後，醫師宣布欣宜罹患的疾病是「側畸症合併複雜先天性心臟病」，不但內臟反位，而且合併有肺動脈狹窄、肺靜脈迴流異常、兩側右心房症（又稱無脾症）、單一心房、單一心室、大動脈轉位合併右心室雙出口、房室瓣閉鎖不全、完全性心內膜墊缺損。

緊急送入加護病房

瑛娟事後才知道，這種疾病的成因是胚胎在形成時，控制左右器官的基因出了狀況，變成兩邊都是右側的器官。由於沒有脾臟，很容易遭受細菌感染，還會有複雜性心臟異常，以及胃液逆流、腸阻塞等問題。

在當下，一長串的病名讓瑛娟一頭霧水。

面對醫師要求立刻送進加護病房，瑛娟還沒有做好心理準備下，欣宜在送往加護病房途中，病情就開始惡化，四肢冰冷、皮膚發紫、陷入昏迷，這一昏迷，直到三天後才清醒。

然後，即使短暫清醒了，欣宜的缺氧更為嚴重，不時昏迷抽筋，幾次急救無效，醫師甚至發出病危通知，必須立即動手術，否則就有生命危險。當時瑛娟的丈夫因工作長駐高雄，她只能獨自一人在醫院照顧孩子，當瑛娟在必須簽下同意書的那一刻，內心充滿惶恐無助，卻無人可以分擔。

願折壽換女兒平安

欣宜第一次進行的開心手術，是從鎖骨下的主動脈接一條人工血管到肺動脈，改善缺氧狀況，至於矯正的開心手術，則要等到五歲才能進行。手術本身就有危險，加上欣宜的病況嚴重，手術大概只有五成的成功率。

孩子送進手術房後，瑛娟誠心地持誦佛號，希望用自己十年壽命換得女兒的平安。四個小時後，手術順利完成，不過仍有三天的危險期，瑛娟就和丈夫在醫院打地鋪，不願錯過每天僅有的三次會面時間，雖然時間很短，孩子也在昏迷中，瑛娟總是緊緊握著她的手，讓她知道，媽媽一直都在身邊。

當初只是為了做心導管檢查而住院，沒想到後來還做了開心手術，前後長達一個多月的時間，瑛娟都未曾踏出醫院大門一步。當欣宜終於可以出院時，總算夜盡天明，做母親懸著的一顆心才能稍稍放下。

然而，這對母女的生命試煉，其實才剛剛開始……

為什麼是我？

身為母親，看著孩子身受病魔折騰自己卻無能為力，這是何等痛苦的深淵？

欣宜一歲多時，某天出現呼吸不順暢，我趕緊將她送醫急診。護士在為孩子抽血時，由於動作太過粗魯，欣宜極力反抗，哭到缺氧以至於呼吸衰竭，醫師立刻為她插入呼吸管，並送入加護病房。

第二天，當我再去探望女兒，醫師告知，欣宜因為肺部感染，痰太稠，堵住了呼吸器的管子，造成腦部嚴重缺氧，可能會變成植物人。

當下，宛如青天霹靂。

一回到家，我和丈夫抱頭痛哭，不解為何上天對我們如此殘酷。然而，我們的共識是，即使欣宜變成了植物人，只有盡力，絕不放棄。

當欣宜的生命跡象穩定到可以轉入普通病房時，我執意幫她辦出院，因為家才是她最溫暖熟悉的地方。

所幸，皇天不負苦心人，在我們全心全意的照料下，欣宜重新學會翻身、爬行。四歲那一年，她總算踏出第一步，雖然步伐蹣跚，但是對我來說那一刻無比珍貴，這麼多年來，我第一次流下開心的眼淚。

在生與死的邊緣掙扎

照顧像欣宜這樣的病童，若不是親身經歷，一般人很難理解會有多麼辛苦。

在人體中，脾臟是重要的免疫器官，欣宜先天就沒有脾臟，很容易遭到細菌感染，即使瑛娟無微不至的照料，有時候還是難免讓病菌趁虛而入，而一個小感冒可能引發的是肺炎、腦膜炎等致命的病症。跑醫院、掛急診，對這對母女來說，幾乎已成家常便飯。

不只一次，欣宜都在生與死的邊緣上掙扎。

最嚴重的一次是得了腦膿瘍，欣宜出現頭痛、發高燒、嘔吐、痙攣、意識障礙等症狀，送進台大急診後，必須進行脊椎穿刺。由於當時欣宜已呈現間歇性昏迷，醫師不敢用麻醉藥，擔心會分不清孩子是昏迷還是麻醉，不得已只好四個人、八隻手架住她。

當醫師拿著粗大的針頭做脊椎穿刺時，孩子痛徹心扉的哭聲在整個治療間迴盪，瑛娟多麼希望是自己來承受這椎心刺骨之痛。

經過第一次開心手術後，隨著孩子漸漸長大，時任台大的張重義醫師又分別為欣宜動了兩次開心手術。

第二次手術，在欣宜四歲時，是肺靜脈迴流異常的矯正手術，目的是為了改善缺氧問題。欣宜七歲時，張重義醫師發現她有心臟擴大的情況，為避免病情惡化，又動了一次矯正手術，將上腔靜脈和肺動脈連結起來。

只要活著就有希望

每次要動手術時，瑛娟的內心就充滿掙扎。她知道，如果不動手術，孩子形同坐以待斃，然而，身為母親，她沒有其他選擇。

從欣宜被診斷有先天性心臟病後，多年來，一次次跟病魔纏鬥，一次次走過死亡幽谷，又一次次地奇蹟式活過來，展現出驚人的生存潛能。但是下一次又會面臨什麼樣的試煉，瑛娟連想都不敢想。

然而，每當欣宜病情穩定了，轉入普通病房，爸爸、哥哥、姊姊都來探望她，陪她看電視、打電動，逗她開心，欣宜的臉上露出久違的笑容。這時候，瑛娟深深地覺得，生命如此可貴，只要生命還在，其實就有希望。

無法用言語表達自己

欣宜五歲前，瑛娟夫婦關心的重點都擺在她的身體健康上，而隨著孩子漸漸長大，不得不開始注意她情緒發展遲緩的問題。

由於長期臥病在床，缺乏環境的刺激，加上曾經有過嚴重的腦部缺氧，經過台北市早期療育中心的評估，當時五歲七個月大的欣宜，認知相當於只有三歲，理解和口頭表達能力也只有三歲六個月，被鑑定為「中度智能不足至輕度智能不足」的範圍。

也因為語言理解和表達都有困難，欣宜除了無法體會別人的情緒和感受，對於外界的感官刺激（特別是聽覺和觸覺）特別敏感。譬如：她不喜歡別人碰觸她，也無法忍受吵雜的聲音，甚至聽到某些字詞（比如「決定」），她就會抓狂，而理由始終不明。

看在長輩和親友眼中，有時候難免會認為瑛娟太放縱孩子，沒有好好教養她。每次聽到這樣的責難，或是教孩子的建議，瑛娟都感到有苦難言。其實她花了極大的心力在教養孩子。而身體虛弱且無法以言語表達自己的欣宜，活在自己的世界中，又何嘗不是她唯一的出路？

量身打造在家教育

由於欣宜的身心障礙，加上很容易遭到感染，在孩子的學習之路上，瑛娟耗費了很多心思，經過一番天人交戰後，最後選擇「在家教育」。

進小學前，欣宜曾經上過幼稚園，由於園長和老師都很有愛心，欣宜也上得很開心，後來是因為第三次開刀手術，不得不提早結束學校生活。

經過兩年的緩讀後，欣宜進入小學特教班一年級就讀，由兩名老師帶七個學生。由於每個學生狀況都不一樣，老師其實很難真正做到因材施教，大部分的時間是在教導學生遵守教室秩序，同學之間也沒有什麼互動，瑛娟不禁心生疑惑：「這樣的學習真的適合孩子嗎？」

尤其是看到欣宜的體力愈來愈差，稍微一走動就氣喘不已，嘴唇和手指都已出現嚴重的發紺現象（即手指、嘴唇發紫），早上起床時還會持續嘔吐。瑛娟實在於心不忍，便在孩子小學二年級上學期，向區公所的強迫入學委員會提出「在家教育」的申請。

既然是「在家教育」，學習方式就更有彈性。瑛娟和經驗豐富的家教老師合作，為欣宜量身打造課表，讓她可以按照自己的步調學習成長。為了避免孩子都關在家裡，缺乏跟外界接觸的機會，家教老師每星期特別安排一節課，邀請親友同齡的孩子跟欣宜一起玩遊戲，加強她的社會性發展。

時光荏苒，無時無刻心繫著欣宜的瑛娟，看到女兒吹熄生日蛋糕上的蠟燭，邁入人生的第十九年，喜悅不言而喻，然而，當她回首這十八年的點點滴滴，有多少別人看不到的眼淚？又有多少無人可以理解的辛酸？

「中風」成了不定時炸彈

人間大部分的傷痛，都會隨時間流逝而過去。但是，生了一個這麼特別的孩子，我幾乎分分秒秒都活在死亡的陰影下。即使是十八年後的今天，我仍然不時感到前途茫茫，面對未來束手無策。

欣宜十三歲那年，一月中旬，她跟爸爸在餐桌玩撲克牌，正玩得開心時，突然聽到爸爸大叫一聲：「欣宜中風了！」只看見她右半身完全無法動彈，我跟爸爸完全嚇呆了，趕緊送醫急救才脫離險境。

經過檢查後才得知，原來像欣宜這樣的孩子，很容易缺氧，必須製造更多紅血球來運送氧氣，才能供應身體各器官運作。但如此一來則造成紅血球比例太高，血液又稠又黏，很容易導致血栓而中風。

從那天開始，「中風」這顆不定時炸彈，彷彿就埋進了欣宜身體裡，開心會中風，生氣也會中風，天氣太冷、太熱，情緒波動，都可能導致中風，我幾乎是二十四小時看護，寸步不離地照顧她。

陪伴生病的孩子，幾乎成為我生活的全部，身為心臟病童的家屬和唯一的照顧者，處於龐大的精神壓力下，我需要的是多一點點的鼓勵和支持，如此而已。

讓我欣慰的是，欣宜從來不吝於表達她對家人最真實的情感，時時一句「我愛你」，讓我們知道她是多麼愛我們，而她又是多麼滿足於我們對她的愛。

這一路上，欣宜和我面對的難題從來未曾少過，但是我會陪著她一直走下去。因為對我來說，生命的意義，就是對你所愛的人，付出無盡的愛與陪伴。

（文／謝其濬）

鼓舞每一顆心

台大兒童醫院心臟科主治醫師 **王主科**

欣宜的心臟病相當複雜，幾乎所有的先天缺陷都出現在她身上，包括缺損、狹窄、動脈轉位、靜脈回流異常等，因此，欣宜成長過程中也格外辛苦，欣宜的媽媽每天都備好住院用品，其艱苦更是一言難盡。

經過多次的手術，僅剩最後一次的手術：下腔靜脈接到肺動脈的吻合術，就算大功告成，但因為她的肺動脈壓力稍高，考量手術風險較大而止步。目前服用自費威而鋼，希望可以把肺動脈壓力降到預期值。看到活潑可愛的欣宜，父母及醫護人員所有的付出都是值得的。

7 每個生命都有活下去的權利

懷孕第二十週時，醫師檢查出孩子有複雜的先天性心臟病。

對於該不該把孩子生下來，蘭娟和前夫的意見兩極化，

讓原本就緊張的夫妻關係，更是雪上加霜。

即使是娘家的親人，也不贊成她把孩子生下來。

但是，蘭娟堅持要給孩子一個生存的機會。

由於照顧心臟病童並不容易，不少父母親在產檢時若發現胎兒患有心臟疾病，經過一番天人交戰後，可能會做出放棄的決定。

不過，隨著醫療技術的進步，心臟病童獲得完全治癒的機會已經大幅提升。因此，基金會長期以來透過衛教知識的宣導，說服家長不要輕易放棄孩子。

畢竟，每一個生命都有活下去的權利。

⋯⋯⋯⋯

在多數父母眼中，孩子是上天賜予的寶貝，因此通常會以無比欣喜的心情，等待孩子的誕生。然而，宇唐（化名）還沒有出生，似乎就已經不受歡迎，只因為他是一個患有先天性心臟病的孩子。

當年從懷孕到生產之間的內心起伏，做母親的蘭娟仍然難以忘懷。

懷孕前期的產檢都很正常，直到第二十週，醫師檢查出孩子有複雜的先天性心臟病。對於該不該把孩子生下來，蘭娟和前夫的意見兩極化，讓原本就緊張的夫妻關係，更是雪上加霜。

因為工作不穩定，前夫認為家中若是多一個心臟病的孩子，只會增加負擔，婆家那邊也是持相同意見。蘭娟娘家的親人則認為，生下這樣的孩子未來的日子會過得比較辛苦，所以也不建議她把孩子生下來。

獨排眾議堅持生下孩子

然而，蘭娟卻獨排眾議，堅持要給孩子來到世上的機會。

她當然知道，要養育一個有心臟病的孩子，絕對不會是件輕鬆的事，但是蘭娟說什麼都無法扼殺腹中孩子的性命。

醫師提醒過她，即使她堅持留著胎兒，孩子也可能會胎死腹中，或是在出生後沒多久就夭折。因此，蘭娟早有心理準備，醫療專業就交給醫師，至於不可預測的風險，則交給上天去決定。

身為孕婦，蘭娟本來就要忍受很多生理上的不適，而腹中的孩子又得不到眾人的祝福，真讓她的心情沉重無比，然而，她總是不斷地跟孩子說：「就算全世界都不歡迎你，媽媽還是歡迎你，如果你願意來陪媽媽，我也很願意跟你一起走下去。」

第八個月早產

懷孕時，蘭娟就有高血壓和妊娠毒血症，前後安胎兩次，後來可能還是不慎動到了胎氣，在第八個月時就早產了。宇唐出生時，體重只有一八一四公克，身上的羊水和體液排掉之後，更是只剩下一六〇〇公克，小得像是個啤酒瓶。

一般人的心臟是兩個心房、兩個心室，而宇唐生下來就只有單心房、單心室，無法像正常的心臟進行全身的血液循環，加上天生就沒有脾臟（人體重要的免疫器官），很容易遭到感染，因此孩子從出生之後，也是多次遊走在生死邊緣。

由於宇唐既有心臟病、又是早產兒，身體過於羸弱，一時間醫師無法幫他做心臟矯正手術，所以採取的策略是先把孩子養壯，將體重增加到二五〇〇克。也因為他的血管太過微細，日後甚至可能萎縮，造成更多血液循環的問題，因此宇唐滿月時，醫師先為他接人工血管，將其他血管的血液引進這些發育不好的血管中，把這些小血管慢慢養大。

從出生之後，宇唐陸續動過三次較大型的手術，第一次是接人工血管，第二次是接上腔靜脈，前兩次手術都在馬偕醫院，第三次原本預定做心臟矯正手術，但因為複雜度較高，經過評估後，轉到台大醫院進行手術，不過由於發現宇唐的心臟缺陷太多，仍不適合做心臟矯正手術，僅能將之前做過的心導管再重新調整。

獲知這樣的狀況，蘭娟難免感到失望。孩子目前年紀還小，心臟對於「工作量」還算能夠負荷，但是隨著宇唐漸漸長大，活動量增加，心臟將愈來愈無法負荷工作量，屆時勢必得走上心臟移植這條路。

宇唐患有心臟病，曾經也是蘭娟心中一個難解的結。

或許潛意識中，蘭娟仍把孩子的病視為一種缺陷，因此她很不願意讓別人知道宇唐有心臟病，她自己不提，也要孩子別說。

像她有個做頭髮的客人，每次來蘭娟的美髮工作室時，會順便把孫女帶在身邊，她見宇唐手指發黑，以為是他手髒沒洗乾淨，還會叫孫女別跟他一起玩。

其實，心臟病童是因為容易缺氧，會出現發紺的狀況，蘭娟聽在耳裡，雖然心裡很難過，卻選擇不做解釋。

解開心結

受到母親的影響，宇唐剛進幼兒園跟別人互動時，也顯得有點退縮，蘭娟是透過老師告知，才知道孩子有這樣的傾向。直到有一次，她在醫院遇到患有小腦萎縮症的病童與母親，那孩子年紀比宇唐大，但是無法說話，只能發出聲音示意，包括大小便都需要有人照料，然而病童的母親對他照顧得無微不至，而且態度無比溫柔。見到這樣的景象，蘭娟當場掉下眼淚。

相較於這位病童，宇唐的狀況實在好太多了，比起這位母親，她已經是非常幸運了，為何要對外隱藏孩子的病情，讓孩子感受到壓力和委曲呢？

下一次，當客人又以宇唐的手指髒為由，要孫女別跟他玩時，蘭娟就跟對方說：「阿嬤，宇唐是因為心臟病缺氧，才會手指發紫，其實他的手很乾淨。」對方聽了很驚訝：「之前妳怎麼不跟我說呢？」

蘭娟這才理解，實際上是自己先絕口不提孩子的病，才造成對方的誤解。有時候，相較於孩子的病，大人自己的「心病」，更需要勇氣去克服。

擁有一個患有心臟病的孩子，改變了蘭娟的人生，其中有獲得也有失去，那麼，若是時間能倒流，她仍願意把孩子生下來嗎？答案是肯定的。

因為，當胎兒開始第一個心跳的時刻，就注定了母子間那份剪不斷的牽絆。

（文／謝其濬）

鼓舞每一顆心

馬偕兒童醫院醫師 **陳銘仁**

三十年前，來到我門診的病人，如果是先天性異常（常見的是唐氏症寶寶），通常只會來一、兩次，之後就很少出現了。隨著醫療的發展、社會制度的進步，漸漸地，行走在陽光下的缺陷兒愈來愈多了，民眾也不再投以異樣的眼光。這是社會進步的象徵與指標，也是人性尊嚴的伸張。

這個小朋友，儘管是複雜性發紺性的心臟病童，他可是既聰明又活潑，個性非常陽光。每次回診時都充滿歡笑，一點也沒有消極退縮的舉動。我更深深感佩他的媽媽，她雖然只是一個平凡的母親，卻有著勇敢的信念：「堅持不放棄每一個生命。」這是人的價值。願這個真實的故事能給予讀者對生命另一層面的省思。

8 浪子老爸的守候

對家佑來說，每一口呼吸是如此得來不易。

家佑的父親，年輕時曾是浪蕩子，

經歷過喪子之痛，也遭遇了妻子的不告而別；

如今，他以最踏實的生活態度，

默默守護患有心臟病的孩子。

有句廣告詞是這麼說的：「我是從當爸爸之後，才開始學會當爸爸的。」對於很多男性來說，孩子的出世，是人生一大轉捩點，當他們抱起孩子，確確實實地感受到孩子在懷裡的重量，心裡很清楚地意識到，「從這一刻起，我將成為一個嶄新的男人，因為，我是個爸爸了。」

以前，生活可以很任性，只需要為自己負責，但是當上爸爸後，代表你必須為另一個生命負責，他未來的人生，也將成為你的責任。

成為父親，改變了呂志銘的人生，而且影響之大，可能遠超過他當初的想像。曾經是浪蕩子的他，經歷過喪子之痛，也遭遇妻子的不告而別。如今，他以最踏實的生活態度，默默守護著患有心臟病的孩子。

意外的喪子之痛

六十三年次的志銘，神情中難掩歲月的滄桑。然而，當年他也曾經年少輕狂，過著放蕩不羈的生活。志銘的父親是廚師，他本來沒有繼承家業的打算，不過入伍服役時，他當的是伙食兵，發現自己的確有做菜的天分。退伍後，在父親指點下，他成了承辦筵席的「辦桌」師傅。

不知道是不是遺傳的問題，志銘和妻子生下的三個孩子，都有先天性疾病。

老大是有輕微的心室中膈缺損，所幸隨著年紀漸長，缺損的部分漸漸癒合。老二患有罕見的巨結腸症，因為大腸的肌肉層缺乏副交感神經節，無法調節大腸進行正常排便，必須利用人工造口進行排便。

老二在一歲時，為了將原來的人工造口換到另一位置，到醫院動手術。原本以為應該只是個普通的小手術，卻在歷時十一個鐘頭後，醫師宣告手術失敗，孩子不幸過世。

獲知消息時，志銘宛如雷擊，生平第一次強烈感受到原來生命如此脆弱。志銘的妻子原本就比較神經質，對於這樣的結果更是難以接受。

意外的變故，反而讓夫妻感情更為緊密。或許是想要轉移悲傷的情緒，妻子又懷了第三個孩子——家佑。

第八個月發現狀況

得知妻子產檢的結果，志銘心頭一陣翻騰。

在第八個月，胎兒體重不增反降，醫師診斷可能是「子宮內生長遲滯」，在生產過程中，這樣的新生兒很容易有缺氧的危險，即使順利生下來，在孩童時期也可能出現很多健康問題，甚至造成死亡。

鑑於之前兩個孩子都有先天性疾病，妻子在懷第三胎時，志銘相當忐忑不安，很怕這個孩子也會步上後塵，甚至還考慮要去保懷孕險。剛開始做產檢時，狀況還算正常，沒想到，志銘最擔心的惡夢還是發生了。

在等待新生兒降臨的前夕，志銘只能暗自祈禱，希望老天爺能讓孩子平安來到這個世間。

家佑在小港醫院出生，患有法洛氏四合症的他，旋即被送到高學醫學大學附設中和紀念醫院的小兒加護病房。

法洛氏四合症是一種先天性心臟病，會出現肺動脈狹窄、心室中膈缺損、主動脈跨於心室中膈上方，以及右心室肥大等四種異常狀況，患者容易發生缺氧情況，本來就相當棘手；再加上家佑同時還有氣管狹窄的問題，隨時都可能因為缺氧而有生命危險。

在一般人眼中，呼吸是多麼理所當然的一件事，但對於家佑來說，每一口氣息得來是多麼不容易。

因為同時有心臟和氣管的問題，家佑從一出生，幾乎可以說是以醫院為家。才四個月大，就進行了氣切手術，兩歲大又去做人工血管，後來則是心導管矯正手術。由於第二個孩子就是在手術中失去生命，家佑每次開刀，志銘就會異常緊張，擔心悲劇再度發生。為了讓孩子接受最好的治療，他選擇帶孩子到台大醫院開刀，即使一次手術就要花掉十五萬元（還不包括北上的生活開銷），也在所不惜，前後至少跑了四趟。

每天定時抽痰

照顧家佑的另一個辛苦之處，就是每天要定時幫他抽痰。

相較於正常人，家佑必須仰賴人工氣管進行呼吸，因此只要氣管上積痰，就無法順暢呼吸，而導致缺氧、昏迷。只要聽見家佑呼吸沉重、帶有含痰的聲音，志銘就要趕緊幫他抽痰，通常一天要抽三次。

多年來，抽痰已是志銘每天的例行公事，他必須隨時注意孩子的呼吸狀況，稍不留神，家佑的生命就會拉警報。

志銘還記得，有一次家佑住院，一大清早，因為來不及幫他抽痰，孩子馬上發生缺氧，是醫護人員趕緊急救才將家佑搶救回來。

因為家佑狀況特殊，需要有人隨時幫忙抽痰，求學之路也比一般人更為艱辛。

志銘解釋，一般的幼兒園，根本沒辦法收家佑這樣的學生，所以家佑也無法像同齡的孩子那樣去上學。到了必須進入小學的年紀，志銘本來想幫他辦理「延讀」，打算等孩子做完氣道重建再入學，然而教育當局不贊成讓家佑延讀，雙方僵持不下，志銘不是沒有他的理由：「如果孩子在學校有個三長兩短，誰能負責？」

慶幸的是，當時高雄啟智學校正好聘用了一位專業護理師，家佑在學校時，護理師可以幫他抽痰，志銘才放心讓孩子入學就讀。

志銘曾經失去過一個孩子，深深體會那刻骨銘心的痛苦，如今他好不容易將家佑拉拔長大，他絕對不能讓孩子身處在任何風險之中。

至今，他所做的一切，都是以家佑的需求為考量。

為孩子扛起一片天

「孩子生下來，當然就是我們的責任，」他語氣堅定地說，雖然照顧家佑很辛苦，但是放棄的念頭卻從來沒想過。

為了幫助心臟病童的家長克服種種難關，基金會設立心臟病童生活輔導員，協助解決各種相關問題。南部輔導員張淑惠在家佑的醫療過程中，更提供了志銘充分的醫療資訊與像朋友般的支持。根據她的觀察，志銘是非常盡責的好爸爸，即使遭遇眾多艱難的考驗，他還是一關關熬過來了，而那份愛護孩子的心情，始終如一。

志銘的付出，也有了一定的結果。經過幾次的手術，家佑目前心臟的狀況穩定多了。至於氣切的問題，醫師建議最好到十六、七歲的發育年紀，再進行氣道重建，所以家佑說話時得低著頭、按住喉嚨的動作，恐怕還得維持一段時間。

至少，最艱辛的時刻已經過去了。

志銘說，他在醫院看盡人生百態，徹底改變了他的人生觀，因此他要成為為孩子扛起一片天的好爸爸。

（文／謝其濬）

鼓舞每一顆心

高雄醫學大學附設中和紀念醫院醫師 **戴任恭**——

大家來學習這位無怨無悔照顧心臟病童的偉大父親，給他一百分也不為過。

9 愛，就是無法割捨的牽絆

坐在孩子床邊的淑玫，看著小女兒的睡顏，
腦海中無法控制地出現孩子離世的畫面。
深夜裡總要觀察孩子是否還有呼吸，
必須用手貼著孩子的胸口感受到心跳，
才能安心。

基金會成立之初，便是以「救命」做為首要任務。除了為家中經濟狀況比較貧困的病童提供手術費用的補助，另一方面，要達到「救命」的目的，非得要有精良的醫療技術做為後盾，因此，基金會對於小兒心臟醫學研究的推動，向來也是不遺餘力。

舉例來說，在一九七六年，基金會曾經資助台大醫院小兒科創設鏈球菌檢驗中心，對於風濕性心臟病之預防，貢獻良多；另外，也透過設置獎助金，鼓勵國內醫療專業人員能夠在小兒心臟學領域再上一層樓。

由於台灣在該領域已達國際水準，才能將許多因為心臟問題而生命垂危的初生兒，從鬼門關前搶救回來，而心宜即為一例。

心宜剛出生時，曾經歷生命垂危，是靠著父母和家族用盡心思的照顧和守護，

才有今天健康的模樣。

而淑玫也在這段歷程中，深刻體會到為人父母那份平凡又偉大的愛。

沒想到問題這麼嚴重

心宜剛出生時，醫護人員就發現孩子嘴角歪一邊，似乎有點不對勁，而且只要一餵奶，臉部就發黑。家族親友來看孩子時，發現這個狀況都憂心不已。在醫院住了一個星期後，便由淑玫的丈夫建楨將孩子送到台大醫院檢查，經過多位醫師會診才找出病因。

原來，孩子患有先天性完全肺靜脈迴流異常及心房中膈缺損，隨時都可能因為缺氧造成生命危險。

因為之前並不知道問題會這麼嚴重，建楨當場就跪下來求醫師一定要救孩子，後來由時任台大的張重義醫師負責為心宜進行開心手術。然而，還沒有到預定的開刀時間，孩子的病情便陷入惡化，必須緊急開刀。送入手術房的前一刻，醫護人員突然要建楨抱抱孩子，建楨當下一愣，隨即了解到，若是老天爺要帶走孩子，這可能是他最後一次抱孩子的機會。

那一刻，身為父親的一顆心真是痛如刀割。

當時淑玫留在宜蘭坐月子，建楨知道妻子個性容易緊張，對於孩子的病況並沒有透露太多細節，只是跟她說要動大手術，要淑玫在家祭拜祖先，保佑孩子能平安度過難關。

沒辦法到醫院陪伴孩子的淑玫，一想到孩子在手術台上的種種可能畫面，儘管心急如焚也束手無策，只能跪在家中庭院，不停地祈求上天、祈求祖先、祈求諸佛神明……

心宜在台大住了二十幾天後出院。送回宜蘭時，淑玫看著女兒小小的臉、小小的手和腳、小小的身子，卻有一道長長的手術刀疤，真是心疼不已。來探望的長輩看到心宜的大腿，細瘦得就像一般人的大拇指，不禁暗自搖頭，眾人共同的心情都是：「這樣的孩子要怎麼養啊？」

無微不至的照顧

淑玫和建楨都在學校任教職，尋找照顧心宜的最佳人選就變得十分重要。幸運的是，建楨的堂姊接下了保母的重責大任。或許因為本來就有一層親戚關係，保母對於心宜的照顧無微不至，連淑玫都坦言，心宜能平安長大，保母才是最大功臣。

由於心宜注射強心針和利尿劑，為了避免循環不良造成水腫，醫師提醒淑玫夫婦每天都要記錄心宜飲食的進與出，也就是食量、尿量、糞便重量，以及吃藥狀況。於是淑玫設計了表格，一天二十四小時、一週七天，巨細靡遺地記錄心宜每餐的奶量及尿量。

食量容易計算，但是排泄物該怎麼掌握重量？淑玫想到買來小磅秤，事先秤過尿布的重量，使用後再秤一次，就可以算出排泄量。由於清理時也會用到濕紙巾，所以連濕紙巾也要秤過重量。

淑玫不諱言，照顧心臟病童的確相當耗費心力。光是傷風感冒，一般的孩子可能在一週內即可痊癒，但是心宜就需要三個星期以上的時間。因為先天心肺功能較差，氣管也不好，就讀幼兒園時，心宜有將近一年的時間咳個不停，甚至還咳出血來，讓淑玫看得心驚膽顫。

煎熬心情

心宜進入小學後，淑玫原以為就能遠離惡夢，只要每年定期回診即可。沒想到在台大做檢查時，吳美環醫師發現，心宜在那次開心手術所處理的血管接點出現了疤痕組織，血管遭到堵塞，造成血流不足，後果就是孩子的左肺將漸漸萎縮，目前仍無積極的治療方式，就算重新開刀也不會有更好的結果。

接下來，又發現心宜出現足側外翻、長短腳、骨盆旋轉，之後的毛病則是脊椎側彎，因此她每天上學時還要穿著矯正鞋，以及塑膠製成的骨架。

受訪時，淑玫坦言，面對孩子層出不窮的疑難雜症，有時候心頭會閃現「怎麼又來了」的無力感，甚至會埋怨老天爺為什麼不能給她一個健康的孩子。

每一次發現新問題，知道的當下都是穿心的痛，痛到讓人連每一口的呼吸都要小心翼翼，因為我知道，自己隨時都會瀕臨崩潰。

我告訴自己，情緒與感覺要深深藏住，淚水要狠狠地壓回去，才足以撐住自己。當然，情緒即使藏得再深，還是常常要冒出來揪心，獨自一人開車時，不用深思，只是念頭想到，淚水就會完全不受控制，狂流不止……

但是在孩子面前，我絕不會顯露內心的波濤洶湧，也許是個性使然，也許是潛意識中認為，自己若倒下孩子該怎麼辦？深深的夜裡，孩子熟睡了，坐在孩子床邊的我，就只是看著她的睡顏，腦海裡卻會無法抑制地出現孩子離世的畫面。所以，深夜裡總要一再確認孩子是否無恙，觀察孩子是否還有呼吸，我必須手貼著孩子的胸口，感受到心跳，自己才能安心。

孩子平時身體狀況還好，最麻煩的是發燒，只要一發燒，體溫直接飆到四十度。為了要注意體溫變化，我必須徹夜不睡，因為要做體溫記錄（就如同嬰兒時期記錄奶量、尿糞量一樣），還要隨時擦汗，就怕汗水濕了衣服會讓病情惡化，所以胸前一條毛巾、背後一條毛巾，濕了，換一條、再一條。如果又碰上嘔吐，情況就更慘烈了，整床的棉被、枕頭全都得換，家裡到處高掛「萬國旗」。

拍痰更是另一個考驗，在台大手術後，醫生便要求主要照顧者要去台大學會拍痰。拍痰之前，得先清楚掌握痰的位置，她爸爸和保母後來都練就一身好功夫，手摸摸她的前胸後背，就知道痰在哪個區塊，不同的地方又有不同的拍法——直立拍、側拍、趴著拍——手的勁道和姿勢各有不同。孩子當然不會乖乖就範，每次拍痰她總是涕淚交織，但是沒人心軟停手，因為知道心軟會帶來更嚴重的後果。

由於過程真的太辛苦了，過往的點點滴滴，漸漸地在我記憶中消失，或許，遺忘是讓自己不要那麼痛苦的一種保護機制……

因為照顧了像心宜這樣的孩子，淑玫深深體會，為人父母實在不是件容易的事，而她也在這樣的歷程中，重新省思自己跟父母的關係。

人的一生，從呱呱落地那一刻開始，能夠平平安安地度過每一天，是生命的禮物。在淑玫眼中，心宜能夠一次次突破難關，活到今天，更是生命的奇蹟，創造奇蹟的背後，並非什麼神奇的力量，而是對孩子那份無法割捨的牽絆。

（文／謝其濬）

鼓舞每一顆心

馬偕兒童醫院醫師 **張重義**

心宜媽媽呵護心宜成長的過程，相信每位媽媽看在眼裡都是點滴在心頭。

雖然心宜還有待解決的問題，但其實就像有些無解的事，也是平靜地陪我們度過一輩子。活在當下、享受當下，就是最值得我們去把握的！

心宜是個勇敢的孩子，面對這許許多多的難關，心宜的爸爸媽媽能隨時把她按在胸前，是多麼溫暖快樂的時刻。

10 與死神的那場拔河

手術前，即使是天性樂觀的弦宗也不禁擔憂，
自己能迎接陽光的日子還剩下多少？
從小就喜歡吃西瓜的他，突然開口要求想吃西瓜，
讓看盡世間生死的醫護人員聽到難免心頭一驚，
難道這孩子意識到什麼了嗎？

二〇一〇年十月底，十六歲的弦宗曾經在鬼門關前走了一趟。

最初只是身體不太舒服，就讀高職二年級的他強忍著，也沒去看醫生，而是選擇請假在家休息。然而，身體愈來愈不對勁，常會有喘不過氣的急促感，不時還會出現抽筋的現象，弦宗有種不祥的預感——或許自己生命大限將至。

母親惠貞（化名）記得，弦宗在家休息這段期間，由於他的生活作息還算正常，就未堅持要他趕緊去看醫生。

直到某天晚上，弦宗終於開口說他很不舒服，熬了一晚，第二天惠貞騎著機車送他去屏東一家醫院。一打點滴，弦宗整個人出現嚴重的大抽筋，完全失去意識，旋即轉進加護病房。惠貞一顆心七上八下，生怕心愛的兒子就這麼離她而去。

經過急救，雖然暫時搶回弦宗的一條命，但是他仍然嚴重貧血，相較於正常人血紅素指數有十二到十三，弦宗只剩下三左右，隨時都可能昏迷或休克，加上體內大量缺乏鈉離子，因而經常抽筋。弦宗在屏東那家醫院住了三天後，又轉往高雄醫學大學附設中和紀念醫院（簡稱高醫）。

危機，還沒有解除。

肚子異常鼓大

這一切，發生得太快，讓惠貞措手不及。事實上，早在弦宗六歲那年，病魔就悄悄地潛進他的體內。

不知道是什麼原因，就讀小學二年級的弦宗，肚子漸漸鼓起，而且愈來愈大。他體型瘦小，卻有個像孕婦般的大肚子，外觀上略顯突兀，走起路來還會有點搖晃。但除了肚子變大，弦宗並沒有其他明顯病徵，因此惠貞以為只是孩子變胖了，並未特別留意。直到肚子大得有點異常，惠貞才帶他去高雄一家醫院看診。

那一次，弦宗在醫院住了十來天。醫師認為應該是肝臟出了問題，造成腹腔積水，建議進行肝穿刺檢查。不過惠貞顧慮孩子年紀還小，擔心肝穿刺檢查有危險，而未讓弦宗做此項檢查，因此又帶弦宗轉往高醫求診。由於弦宗主要困擾是腹腔積水，醫師便以利尿劑等藥物控制病情。

即使服藥，弦宗大肚子的狀況仍是時好時壞，並沒有完全改善，惠貞持續帶他到高醫進行追蹤，但是約在二〇〇六年左右，突然中斷了。

發生了什麼事？

欠繳健保費

五十七年次的惠貞，年紀輕輕就當了母親，除了弦宗，還有一個就讀夜校的大女兒。大概在二〇〇五年左右，惠貞和丈夫分居，獨自帶著兩個孩子生活。

和丈夫分居後，惠貞才發現丈夫一直沒有幫家人付健保費。因為欠繳太久，健保卡遭停卡，造成弦宗無法繼續到高醫回診。後來是惠貞用分期付款的方式，慢慢地將積欠的四萬多元健保費繳清，才能再度使用健保卡看病。

然而，惠貞還是沒有帶弦宗回高醫，關鍵在於錢。

這幾年來，惠貞都在妹妹經營的髮廊工作，每個月薪水大約一萬七千元，扣掉房租五千元，剩下來的一萬多塊要養活一家三口，實在不是件容易的事。

一肩扛起家計的惠貞，深知每一分錢都要花在刀口上。她心裡盤算過，弦宗若是到高醫看診，即使有健保卡，大概還是要花個五、六百元，如果是拿著醫師之前開的處方箋到私人診所拿藥，費用大概只要三分之一。

可想而知，惠貞選擇了後者。

弦宗的大肚子雖然稍有困擾，會有同儕開他玩笑：「你是不是懷孕了？」但是個性樂觀的他似乎也習慣了，並不以為意。縱然偶爾感到不適，弦宗知道家裡的經濟狀況不好，沒什麼錢讓他看病，只要能夠熬過去他就會強忍著。就這樣，轉眼又過了好幾年。

只是，惠貞母子都沒有預料到，弦宗的心臟已經是一枚定時炸彈，距離爆發的時間愈來愈近。

天公廟中，人聲鼎沸，煙氣繚繞，惠貞執起一炷香，虔誠地向上天拜了又拜，希望老天爺能大發慈悲，讓弦宗安然度過難關，繼續留在人間。

這幾年來，弦宗的病徵愈發明顯，很容易氣喘，甚至是上下樓都爬不動，還要仰賴好心的同學背他。只因為家境困窘，無法帶他到大醫院就醫，才讓病情惡化到這種地步，身為母親，惠貞眼眶含淚，心中滿是自責。

最初，弦宗在屏東那家醫院急救時，醫生的診斷是肝硬化。不過，轉到高醫之後，經過一個月的詳細檢查，找出真正的病因——心包膜炎。

高醫小兒心肺科主任戴任恭醫師解釋，心包膜是包覆在心臟外面的一層薄膜，具有潤滑、減少摩擦的功能，當心包膜發炎（如病毒細菌感染、結核感染），就是心包膜炎。

心包膜炎可分為急性與慢性兩種：急性心包膜炎患者會有胸悶、胸痛、呼吸喘的症狀；至於慢性心包膜炎的患者，可能只會覺得喘而無其他症狀，像弦宗就是屬於後者。

弦宗在幼年時，可能因為感冒，病菌感染造成心肌病變，心包膜日趨鈣化。於是，心臟就像是套著一層硬殼，影響正常的收縮和舒張，導致全身循環失調、肝臟腫大，產生腹水和四肢水腫。如果一直延誤下去，最後就會心臟衰竭而死。

由於癥結在心包膜，最一勞永逸的方式，就是動手術將心包膜切開。不過，當時弦宗已處於心臟衰竭第四級（狀況最嚴重，即休息狀態也會呼吸急促），是否能承受全身麻醉的手術，外科醫師的看法相當保守，甚至評估成功機率只有五成五。

手術前夕，想吃最愛的西瓜

尚未施行手術之前，弦宗又出現靜脈導管感染，恐有敗血症之虞，讓惠貞的心情更是焦慮不已。原來，弦宗住進高醫後，因為需要透過點滴注射強心藥物，一旦漏針容易造成靜脈發炎，於是醫師就在他的頸部裝上靜脈導管。不巧的是，靜脈導管卻引發感染，若不先行處置，心包膜手術的成功率更是只剩下三成。因此，不得不將手術延後一個星期。

不論成功率是三成或五成五，聽起來都是相當高風險的手術，這場與死神的拔河，不到最後一刻，沒有人知道結果為何。

等待進入手術房的前夕，惠貞惶惶不安，而病床上的弦宗何嘗不是輾轉難眠，也暗自擔憂，自己活著迎接陽光的日子還剩下多少呢？

從小就喜歡吃西瓜的弦宗，突然跟病房的醫護人員開口：「我想吃西瓜。」看盡世間生死的醫護人員聽到弦宗的要求，難免心頭一驚，難道這孩子意識到以後可能再也沒有機會吃西瓜嗎？

戴任恭醫師說，弦宗體內積水嚴重，本來不宜吃水分多的西瓜。不過，既然是孩子手術前最後的心願，他還是答應了。

心臟病兒童基金會的輔導員張淑惠持續關懷弦宗的病況，她說，弦宗想吃西瓜一事，醫護人員事前都不忍告訴惠貞，就怕她會更傷心難過。

弦宗的心包膜切割手術進行得很順利，隆起的肚子已經完全消除，終於不必挺著大肚子行動。手術後，弦宗便出院休養，等待開學重拾學生身分。

這場與死神的拔河，雖然過程曲折也非常艱難，所幸最後是以喜劇收場。

孩子是生命的全部

弦宗前後在高醫住了大約兩個月，這是一筆龐大的醫藥費。雖有健保支付了大部分，但還是有十萬元左右的住院費用。幸好，心臟病兒童基金會幫助解決了一部分的負擔。

對於像惠貞這樣經濟欠佳的家庭來說，孩子的一場病實在是不小的負擔。因此，最後能夠把弦宗從鬼門關前搶救回來，惠貞很感恩上天的慈悲。

從另一個角度來看，由於未能即早發現、進行治療，弦宗的病情才變得一發不可收拾。因此，基金會長期推動的「學生心臟病篩檢」服務，重要性不言而喻。

近年來，在基金會的推動下，包括台北市、宜蘭縣、台中市等教育局，均將心臟病篩檢工作列為學生健康檢查項目，目前已有超過兩百萬人次的學童接受了心臟病篩檢。

基金會希望，隨著心臟病篩檢的服務更為普及後，像弦宗這類慢性心包膜炎的病患，可以盡早發現、盡早治療，避免孩子陷入生死存亡的險境。

（文／謝其濬）

鼓舞每一顆心

高雄醫學大學附設中和紀念醫院醫師 **戴任恭**

生命是可貴的。惠貞、弦宗對於生命的堅持，終於得到美好的治療效果。

祝福之中，也提醒家中有心臟病病童的父母，應及時就醫，尋求最有效的醫療。

11 在那一天到來之前

做了第五次心導管手術後，

承孝本以為可以回歸正常人的生活，

無奈病情惡化為慢性心臟衰竭。

原本怨天尤人的承孝走過絕望的幽谷，

決定要積極樂觀地把每一天都活出光彩。

生命很脆弱，因此，能夠活在這個世間，是多麼彌足珍貴的事。基金會多年來幫助心臟病童，就是希望他們重拾寶貴生命後，除了能夠珍惜自己的人生，也能夠為自己和社會創造最多的價值。事實上，很多病童在歷經疾病的磨練後，反而比一般的孩子更能體會生命的真諦。

十七歲，青春無敵的年紀。

多數人的人生中，十七歲正是陽光燦爛的年紀。然而，承孝的人生卻在十七歲這一年，墜入黑暗深淵。

承孝身為家族中的長孫，加上是從鬼門關前撿回來的孩子，從小備受家中長輩寵愛。他所患的先天性心臟病，包括右心室發育不全、肺動脈閉鎖，以及心房中膈缺損。承孝說，肺動脈閉鎖形同沒有肺動脈，會造成全身缺氧，不過老天爺留給他的另一個缺陷——心房中膈缺損，讓有氧血和無氧血得以交流，反而為他帶來生存的契機。

新生兒時期的他，在母親餵奶時嗆到，隨即臉部發黑，因此被診斷出有先天性心臟病。學齡前曾經做過兩次大手術，以及三次心導管手術，不過承孝已毫無印象，只能從父母親口中得知，當時的自己身上插滿管子，讓他們看得無比心疼；所幸術後的營養吸收和運動狀況，都有改善。

把心臟病當作「特權」

九歲那一年，承孝進行了第三次大手術，以及之前的心導管手術。因為年紀比較大了一點，記憶也稍微深刻了一些，他仍記得自己在手術前的恐懼心情，「但是我會為自己加油打氣，」承孝透露，「現在回想起來，當時的我真的很勇敢。」

由於第三次手術成功，承孝的血氧含量從七〇％上升到八〇％，除了跑步時會稍微喘一點，平日作息已與正常人無異。

直到高二之前，因為不必上體育課、軍訓課，該科成績一樣拿一百分，承孝竟把患有心臟病當作「特權」，不但極少運動，而且完全不節制飲食。

承孝說，在他九歲開完刀時，父母親曾經對於孩子的管教方式發生爭執，特別是在飲食習慣上。父親為他的健康著想，管得比較嚴；但是母親就是寵他，不論是漢堡、炸雞還是火鍋，只要他想吃，一定有得吃。

在國、高中時，他認為自己病好了，沒什麼問題，吃起東西來更是放肆。對於當時的承孝來說，既可以隨心所欲地吃吃喝喝，又不必參加勞務活動，日子過得何其輕鬆愉快，完全沒想過，巨大的人生逆轉就臨在眼前。

意料之外的手術結果

就讀高一時，承孝回醫院做追蹤門診，當時醫師診斷出他有心律不整的狀況，建議他考慮以心導管的方式，將心房中膈缺損的部分補好。

「當時我以為，只要完成這次心導管手術，我的心臟問題即可一勞永逸，而我就能像正常人一樣，擁有更好的生活品質，」承孝說，因此他在高二下學期，進行了第五次的心導管手術。

出院時，承孝感覺宛如獲得新生，他終於可以揮別心臟病的陰影。

出院兩星期後，承孝的下肢開始嚴重水腫，最初他並沒有特別放在心上，直到發現水腫竟使他原本九十公斤的體重上升到一百一十公斤，睡覺時胸口就像是壓著大石般無比難受，才趕緊到醫院回診；而得到的結果，讓他震驚不已。

由於先天性的缺陷，承孝右邊的心臟在運作時需要更多的力量，久而久之，造成右心室肥大，加上他本來就有右心室發育不全的問題，心臟在運作的過程中容易產生血塊，未來會有中風猝死的危機；這也是當初醫師建議承孝修補心房中膈缺損的重要考量之一。

不過，一旦修補心房中膈缺損，右心臟所承受的壓力改變了，也可能導致心臟慢性衰竭的後果，當初醫療團隊曾經過審慎的評估，認為發生後者的機率不大，才決定進行手術。

沒想到，事與願違，當承孝得知殘酷的事實，腦中一片空白，醫師後來的解釋，他一句也聽不下去。接下來的人生，他必須小心翼翼地照顧自己，不能有嚴重的感染或疾病，任何疏失都可能帶來致命的危機。

走出人生陰霾

有很長一段時間，承孝都活在愁雲慘霧之中。

除了生理上的考驗，承孝還有心理上的障礙需要克服。原以為手術後就能跟正常人一樣的他，實在很難接受自己病情惡化的事實，否定、悲傷、怨懟，他心中充斥的全是負面情緒，後來更因此患有輕微的憂鬱症。

經過將近一年的痛苦掙扎後，承孝接觸到來自日本的佛教團體「創價學會」，才逐漸走出人生的陰霾。

這個社團強調如何「創造人生最高的價值」，除了每個月定期舉辦座談，每隔兩到三年還會舉行文化節的活動。

一開始，承孝有點疑惑，因為他對參與宗教團體興趣不大，不過在好奇心的驅使下還是去了。一位社團的大哥過來打招呼，他事先已得知承孝的狀況，知道承孝此刻最需要的就是交朋友、跟人群接觸，正好創價學會當時正在準備二〇〇七年的文化節表演活動，每個週末會在淡水捷運站練舞，便邀請承孝一起來跳舞。

那一次，他們跳的是非洲舞。練舞的中場休息時，好幾名社團成員主動過來跟承孝打招呼，表達關懷。

其中，有一名學會成員A，在練舞的兩個月前才出了一場大車禍，醫師都以為他會腦死，他卻奇蹟似地活了過來，甚至連頭蓋骨都還沒有完全修補好，雖然出門對他來說有很大的風險，但是他願意為自己的生命去奮鬥。

A的故事帶給承孝很大的震撼，因為他自從獲知病況後，一直處於怨天尤人的心態下，沒想到居然有人像他一樣，也是活在生與死的邊緣，卻用截然不同的態度來面對生命。

A曾經問過他一句話：「你是否為自己的人生認認真真地努力過？」當下，承孝只是愣了一下，然而這句話在他心裡開始發酵，承孝回頭重新檢視自己的人生，才發現自己徹底錯了。

不是生病讓他沒機會去過正常人的生活，而是他自己先放棄了自己。

想起這段時期，他懷憂喪志，失去人生的方向，忽略了該珍惜和感恩的人，如果是以這樣的方式活著，自己的人生又有什麼價值呢？百感交集的承孝，決心改變自己。

首先，他想在文化節好好跳完那支非洲舞。母親曾經擔心他的心臟狀況，希望他不要練舞，但是承孝跟母親說，如果放棄了，就代表被病魔打敗了。只要他中場有足夠的休息，加上事先做好急救的準備，他也可以像其他的年輕人一樣，跳出自己的生命活力。

承孝說，由於水腫的緣故，他必須定期到醫院打利尿劑，而練舞時會大量流汗，反而讓他不必打利尿劑就能讓體重自然下降約五公斤，也算是意外的收穫。

當志工分享溫暖

若說參加創價學會讓承孝看到人生的價值，投入關懷心臟病童協會的志工行列，則讓他學習如何透過關懷，將溫暖分享給他人。

有一次在做追蹤門診時，有一位協會的志工阿姨前來跟他打招呼，問他是不是病童，並邀請他加入青年志工，承孝欣然接受，開始定期到病房去關懷病童。

承孝說，病房中通常氣氛不會太好，手術前夕的病童難免情緒緊張不安，這時候他就以過來人的身分，用輕鬆風趣的方式來安撫這些孩子，「畢竟，身體已經夠苦了，如果心情也很苦悶，那就真的太苦了。」

由於他勇於面對病痛，還能毫不保留地對其他病童傳達關懷，讓承孝得到中華民國關懷心臟病童協會所頒布的九十七年度生命獎章。

病房中的人生百態，也讓承孝體認到，面對無情的病魔，更得用積極樂觀的態度去迎戰。

從高二下學期就在家養病的承孝，經過很長一段時期的蟄伏後，開始思索自己的未來。對於「認命」這個字眼，有了不一樣的詮釋——不是消極地任由命運擺布，而是積極地認識自己，也認清楚生命的本質，用全新的態度來擁抱人生。

人生，既然有開始就會有結束。生病讓承孝更清楚感受到生命的有限，走過絕望的幽谷後，他對自己承諾，不管自己的壽命會有多長，重點是要珍惜當下所能擁有的一切。

因為，在那一天到來之前，活著的每一天，都是上天留給他最好的禮物。

（文／謝其濬）

鼓舞每一顆心

童綜合醫院心臟醫學中心執行長 **黃碧桃**

承孝是個樂天開朗的「開心青年」。每次不論是在醫院內或基金會的活動遇到他，都是那麼快樂開心地聊天，和大朋友及小朋友都一樣，永遠是在哈哈大笑中相聚。

歷經那麼多次的住院、心導管手術、開心手術，任何人都難免痛苦，滿懷希望及失望時，不得不面對。但勇敢的承孝都熬過來了，真的很佩服你的忍耐及決心。

12 那美好的一仗

琨翔換心之後，出現器官排斥的緊急情況，

送醫後雖然死裡逃生，

但是秋雪心裡很清楚，他終將告別這個世界，

當那一天到來時，

她真的準備好跟孩子做永遠的告別嗎？

家有心臟病童，對於家長來說，不論是身體或心理，都是漫長的抗戰。除了要照顧孩子的病情，在體力上是一大考驗，百轉千折的情緒，往往也只能隱忍在心頭。

基金會從一九九六年起，特別設計了心臟病童生活輔導員的角色，除了扮演家長和醫療團隊間的溝通橋梁，在漫長的治療過程中，也陪伴著病童與家屬一起奮戰，提供精神上的支援。透過他們持續的關懷，病童和家長都能感受到來自基金會那份強而有力的支持。

黃昏時分，社區的小公園中，一位父親正在跟孩子玩老鷹抓小雞的遊戲，傳出一陣陣笑聲。正在廚房忙著煮晚餐的秋雪，發現六歲的兒子琨翔站在窗口，靜靜地注意那對父子，玩具也不玩、電視也不看，一望就是一個小時。

秋雪知道孩子的心情，心頭也是情緒翻騰。

無言的抗議

自從和丈夫離婚後，孩子就不再開口說話了。最初，秋雪以為是孩子的耳朵出了問題，找醫師檢查，結果正常；從日常生活中，秋雪也感受到琨翔其實聽得懂她說的話，然而他就是不願意再開口說話。

後來求助心理醫師，判斷孩子不說話的原因應該是心理因素。那是一種無言的抗議。

在孩子九個多月大時，秋雪選擇了離婚。當初離婚的考量之一，就是不要讓孩子在充滿緊繃氣氛的家庭中長大，但沒想到，這個決定反而讓琨翔心中烙上傷痕，孩子不願成為單親的孩子，便以拒絕說話做為手段。

看著孩子靜靜地站在窗口，望向那對父子的眼神中充滿了羨慕，秋雪感到好揪心，難道是自己做錯了嗎？琨翔是她生命的全部，只要琨翔快樂，她願意為他做任何事。

於是在以孩子的感受為優先的前提下，秋雪帶著琨翔回去跟前夫同住。原本破碎的家，暫時有了破鏡重圓的轉機。

等待換心

一家人好不容易又團聚在一起，半年後，琨翔卻開始發病了。

一開始，只是頻繁出現感冒症狀，有一次，琨翔的病情特別嚴重，狂咳、狂吐，而且一直喊著喉嚨痛，送到恩主公醫院，醫師判斷是擴張型心肌病變，心臟輸出率掉到一〇%，已經到了需要換心的地步。

琨翔先是轉到亞東醫院，後來再轉台大，住進兒童加護病房，吳美環醫師詳細檢視孩子的病情之後，告訴秋雪一個壞消息：琨翔的心臟功能極差，如果施打強心劑都起不了作用，就得立刻外接葉克膜。

秋雪聽到孩子命在旦夕，情急之下，竟然開始流鼻血，當時已懷有三、四個月身孕的她，懇請吳醫師一定要救孩子一命，吳醫師眼見秋雪情緒接近崩潰，鼓勵她為孩子堅強地支撐下去，只要耐心等待，就有機會換心。

所幸強心藥劑生效，讓孩子度過了難關。在等待換心的過程中，台大小兒心臟科團隊除了教導秋雪如何照顧心臟病童，也不時為她加油打氣。而平日就愛讀書的琨翔，在醫護人員的勉勵下，即使住在病房中，手上還打著點滴，仍然很努力地讀書、寫字，每當吳美環醫師巡房時，看見琨翔坐起來練習寫英文單字，便親切地要他多吃一點，把身體養好了，就能早日出院。

其實，當時琨翔想要學好英文，有個最切身的動機。原來，他發現病歷上寫的都是英文，所以他認為必須要把英文學好，未來才能當醫師，治好自己的心臟病。

琨翔的心臟病來得又急又凶，而他所患的擴張型心肌病變，病因為何，至今醫界仍然沒有清楚的定論。先天的遺傳、後天的感染，都可能造成心肌病變。

秋雪和琨翔這對母子，靠著自己，非常堅強地等待生命的契機出現。

眼見孩子的心臟狀況愈來愈糟，秋雪焦慮不已，常不由自主地掉眼淚，但是她絕對不在孩子面前哭泣，因為這只會讓琨翔心中更為擔憂。龐大的壓力下，促使她跑去向台大心臟外科王水深醫師哀求，一定要盡快幫孩子換心，因為再這樣苦等下去，她的身心都要崩潰了。

終於，在琨翔病發後約九個月，他等到了心臟，由王水深醫師為他進行換心手術，術後心臟輸出率回復到七〇％、八〇％，連醫療團隊都認為表現得比預期還要理想。

重生喜悅好景不常

母子倆正沉浸於重生的喜悅之時，可惜好景不常，大概在換心之後的第三個月左右，琨翔出現了急性器官排斥。

那天，正好是在吃晚餐時，琨翔說身體不太舒服，秋雪便讓孩子先去躺著休息。過一會兒，她再去看琨翔時，他開始無法控制地狂吐，秋雪緊急將他送往台大。到醫院時，琨翔已經瀕臨休克狀態。

按照正常程序，必須經過心臟切片檢查後，才能確認是否為器官排斥，但是當時狀況實在太危急了，王水深醫師當機立斷，直接為琨翔施打抗排斥藥物，總算暫時化解危機。

不過，孩子這次雖然死裡逃生，但是秋雪心裡很清楚，琨翔日後的生命有限，長則三、四年，短則一、兩年，他終將告別這個世界，屆時母子緣分也就畫上了句點。當那一天到來時，她真的準備好跟孩子做永遠的告別嗎？

不要放棄自己

「生命，不在長度，而在深度。」看似老生常談的一句話，秋雪卻有很深刻的體悟。

換心手術之後，為了維持心臟的使用壽命，秋雪帶著孩子頻繁地進出醫院，自然認識了不少病童和他們的家長。每當看見他們面對病魔，已處於消極的放棄狀態，秋雪總是好想告訴他們：「其實，你們還是有很多事情可以去做。」

秋雪深刻體會到，生命的意義，並不在於等待死亡，而是讓自己活得沒有遺憾。這是生命教給秋雪母子很重要的一課。

當琨翔的身體狀況暫時穩定下來之後，母子倆面臨了一個抉擇：該不該讓孩子回學校讀書？

琨翔本身是個喜歡讀書的孩子，然而，因為他始終認為是感冒造成他心臟發病，而像學校這種人多的地方，很容易讓他染上感冒，因此對於回學校讀書，他有點抗拒的心態。

秋雪相當重視醫師的意見，先去請教吳美環醫師的看法，吳醫師說：「當然要去念書，而且要好好念書。」再去請教王水深醫師，王醫師直言：「我們花那麼多心力幫你換心，就是希望你好好讀書，以後有機會當個有用的人。」既然醫師都支持孩子讀書，只要不做太劇烈的運動，琨翔也可以像正常孩子一樣上學。

不願意上學的真相

琨翔就讀小一時，秋雪考慮到他的身體狀況，對於課業並沒有太多要求，只求他能夠開心學習就好。

倒是琨翔非常樂於讀書，從不會以身體狀況為理由缺課，只是有時候他在讀一些像是海倫．凱勒等殘障人士的傳記時，會問秋雪：「我是身心障礙者嗎？我是沒用的廢人嗎？」

孩子天真的問題，聽得秋雪好心痛，她趕緊鼓舞孩子，雖然身體上有病痛，但絕對不是一無是處的廢人，所幸琨翔個性樂觀開朗，很快就擺脫了自卑的情緒。

然而，升上三年級後，琨翔突然變得不愛上學了。

一開始，孩子先跟秋雪透露，說同學知道他有心臟病，都明顯排斥他。秋雪向班導師反應，導師的態度卻很冷漠，他說現在的學生都這樣，請琨翔不必在意。秋雪選擇相信老師的話，認為可能是孩子過於敏感了。

然而，琨翔在學校的人際關係卻持續發生狀況，他甚至開始跟同學動手打架，秋雪一度還以為是琨翔變壞了，曾經數度體罰他。

直到孩子出現「短期記憶喪失」的症狀——學校當天發生的事，他都無法記得——秋雪才知道狀況嚴重，趕緊送醫治療，心理醫師跟孩子深談三個小時後，終於發掘出事情的真相。

原來，琨翔在學校遭到霸凌，但是老師不管，母親又不相信他，使得他的心靈受創，才會導致短期記憶喪失。

因為遭到霸凌，琨翔曾經有四個星期沒到學校讀書，重新返校後，期末考居然還拿到第一名，特別是數學得到滿分，為琨翔看診的台大小兒心臟科陳俊安醫師便很欣慰地跟秋雪說：「誰說心臟病童的表現會輸給一般的孩子呢？」

升上五年級，經過轉班的安排，琨翔換了一位新任的班導師，這位班導師很有愛心，即使琨翔說話速度緩慢，也能夠耐心聆聽，琨翔後來很開心地跟秋雪說：「媽媽，我長大了，我在學校很快樂，妳不必到學校來保護我了。」

沒能等到第二顆心

要換一顆心，是多麼困難的事，即使幸運地換到了，也不表示這顆心就能夠長長久久地使用下去。

琨翔發生第一次急性排斥時，醫師就告訴我，之後他若能撐個三、四年，就已經算是很不錯了。因為知道這顆心臟隨時可能停擺，我們也一直等待第二次換心的機會。然而這一次，他沒有等到。

升上五年級沒多久，琨翔的心臟狀況開始惡化，我們在一月住院，等待換心，由於病情直轉急下，三月四日，他便離開了人間。

住院那段期間，琨翔不停地跟醫師吵著要換心，表現出強烈想要活下去的意志力。但是，或許他也知道自己這次可能撐不過去，所以跟我說了很多內心的話，彷彿是在交代遺言。

他跟我說：「媽媽，我知道妳跟爸爸在一起會吵吵鬧鬧，但是我還是希望妳不要一個人住在外面，因為沒有人會保護妳，妳還是跟爸爸住在一起好了。」

對於他暗戀的小女生，他寫了一段短短的文字：「我從以前就很喜歡妳了，請妳一定要跟我結婚，以後我們在一起生小孩，我們一定要分工合作，一起創造家園。」

到了生命的尾聲，他仍然渴望著一個完整的家。

為了延續他的生命，我花了一百八十幾萬，為他買了一個人工心臟，家裡沒什麼錢，我就用房屋貸款，反正以後再工作慢慢還就是了。然而，人工心臟還是救不了孩子，他還是在腦栓塞的狀況下，經過三個鐘頭的掙扎後，離開了人間。

看著孩子最後的痛苦模樣，我已完全崩潰……

向老天爺借來的五年

琨翔走了之後，我一直走不出陰霾，學校老師要幫他申請總統教育獎，我跟台大的醫護人員說：「何必呢？孩子都走了，一切都來不及了。」然而，周迺寬醫師卻對我說：「怎麼會呢？琨翔如果地下有知，他一定會很高興的。」

他的話點醒了我，琨翔的生命雖然這麼短暫，但是他已經盡力做到最好，幾乎每次都是班上第一名，拿了三十五張學校的獎狀、四張心臟病兒童基金會的獎狀和獎金，還有一張《國語日報》的獎狀和獎金，琨翔證明了心臟病童也可以有很傑出的表現。

琨翔的爸爸、奶奶曾經說，早知如此，當初就不要換心，日後也不會這麼痛苦。但是我卻認為，因為做了換心，琨翔的人生才多了一次機會，也讓我們母子有更長的時間相處，雖說緣分終究還是到了盡頭，但是我多麼慶幸可以擁有從老天爺那借來的五年時光。

雖然最後沒能得到第二次換心的機會，但是我們母子和醫療團隊都盡了最大的努力。王水深醫師和周迺寬醫師都是每日探視，即使遇到農曆年假也不例外。而琨翔為了要活下去，強忍著極大的痛苦，甚至還在病床上預習功課，為了返回學校做準備。

即使結果還是失敗了，但是，在病魔面前，我們打了美好的一仗。

琨翔，你在媽媽的心中，永遠是最勇敢的「開心英雄」，能夠跟你共處十三年的時光，是我人生中最有意義的一件事。

（文／謝其濬）

鼓舞每一顆心

台大兒童醫院特聘教授 **吳美環**

琨翔是個很敏感又很堅強的孩子。在琨翔身上，我們學會了「孩子努力過每一天」的態度和心情。記得幫琨翔看病時，他常常會拿個小玩具或小東西，一邊玩一邊向我展示。有時看診時間較不急迫，我會和他分享一下快樂。當時他流露出的燦爛笑容，好真誠、好開心，我永遠也忘不了。

謹在此向琨翔的爸爸媽媽致上最高敬意，琨翔因你們無私的愛充實地過著他的每一天。我們也很珍惜和這位「開心英雄」一起成長的歲月。琨翔的爸爸媽媽也請好好照顧自己。

附錄

兒心基金會五十週年大事紀

一九七〇

- 《中央日報》朱宗軻報導：〈呂鴻基醫師盼各界協助心臟病童成立救助中心〉。
- 第一筆捐款新台幣一萬元。

一九七一

- 第一次基金會發起人會。發起人有：薛人仰、王永慶、林挺生、陳查某、賴森林、董大成、黃榮堂、Antonia Maria修女、葉火城、陳寬墀、姚卓英、陳曾秀琴、楊太太、魏火曜、邱仕榮、陳烱霖、林天佑、洪啟仁、呂鴻基、Thomas Gradder。鼇

呂鴻基醫師盼各界
協助心臟病童
成立救助中心

1970年，《中央日報》報導。

1971年，中華民國心臟病兒童基金會發起人會。

定基金會宗旨，定名為「中華民國心臟病兒童基金會」，成立勸募委員會，推選代表人邱仕榮，總幹事呂鴻基。

- 行政院衛生署准予成立備查。
- 第二次發起人暨勸募委員會。制定基金會章程，推選董事會。成立第一屆董監事會，聘請魏火曜為董事長，呂鴻基為總幹事。
- 選定本會會徽。

一九七二

- 幫助第一位先天性心臟病童陳文欽於台大醫院接受開心手術。
- 台大醫學院畢業同學共同捐款新台幣兩萬兩千元。
- 國際婦女會會長羅王雪英女士率中外籍會員探視基金會幫助的第九位心臟病童，並捐款新台幣十萬元。
- 陳垣崇夫婦訂婚捐款新台幣五千元。

976年，葉火城慈善油畫展。

1973年，台北市中山堂慈善音樂會。

1973年，白花油公司董事長顏玉瑩捐款。

一九七三

- 和興白花油藥廠有限公司董事長顏玉瑩捐款新台幣五十萬元，另捐新台幣五十萬元（按月捐五萬元）為慈善床特別捐助金。
- 於台北市中山堂舉辦慈善音樂會（蔡采秀、馬樂伯、高思文、張寬容等音樂家）。

一九七四

- 必治妥製藥公司捐新台幣四萬兩千元，做為小兒心臟病研究員沈慶村醫師獎助金。
- 台大醫學院第十七屆護理系，節省謝師宴費用捐款新台幣三千元。

一九七六

- 資助台大醫院小兒科創設鏈球菌檢驗中心，對於風濕性心臟病之預防有很大貢獻。
- 葉火城董事捐贈四十幅油畫給本會義賣，由台大醫學院學生代表會、明志工專及省立博物館協辦「葉火城慈善油畫展」。

1976年，葉火城慈善油畫展。

一九七七

• 林口長庚醫院捐小兒心臟病研究員（蘇文鈔醫師）獎助金。
• 創設基金會個人贊助會員（每年捐款新台幣五百元以上），團體會員（每年捐款新台幣一萬元以上）。

一九七八

• 增設家庭贊助會員（每年捐款新台幣兩千元以上）。
• 持續進行預防風濕性心臟病。
• 與中華民國心臟學會合併參加國際心臟聯盟（ＩＳＦＣ）。

一九七九

• 宇音樂器行舉行慈善音樂會。
• 一九七九年為世界兒童年，適逢小兒科醫學會二十週年，贊助兒童保健協會新成立，擴大舉行慶祝活動。

一九八〇

• 中國文化學院家政系舉辦服裝表演及義賣會。
• 張木杞先生捐火柴盒拼圖舉辦展覽。

1980年，台北市教師合唱團義演。

- 台北市教師合唱團於台北市實踐堂舉辦義演。
- 補助心臟病童的醫療費最高金額提高為新台幣四萬元。

一九八一

- 中視「愛心」節目拍攝馬來西亞張菁菁小朋友在台大醫院治療心臟病情況。
- 成立十週年紀念。

一九八二

- 蔡采秀小姐舉辦慈善音樂會義演。
- 百靈佳藥廠捐款新台幣一百萬元，做為本會協辦第八屆亞洲太平洋區學會。
- 台北扶輪社捐款新台幣五十萬元，做為台大醫院小兒科心臟病研究。
- 台北市政府社會局舉辦「愛心鑼」活動，捐給本會新台幣三十萬元。

一九八三 ・共同贊助舉辦第八屆亞太區心臟學會大會，交通部特別設計兩套郵票以資紀念。

・於圓山俱樂部舉辦第三屆亞洲小兒心臟病學會大會。

一九八四 ・台北國際社區電台（ICRT）暨國際友邦女童軍舉辦健行募款活動。

・出版基金會委託王英明醫師撰寫的《小兒心臟學》。

一九八五 ・補助心臟病童的金額增加到最高新台幣八萬元，各合約醫院相對補助額也增加，同一病童、同一次住院最多可以補助兩次。

一九八六 ・魏火曜董事長代表接受財團法人大同教台灣總靈體會的巴哈伊服務人群獎。

一九八七 ・台北國際社區電台（ICRT）暨國泰航空公司舉辦「心連心」愛心活動。

・台灣大學醫學院學生舉辦「為愛心而跑」活動。
・基金會與奧美廣告公司舉辦「好心救好心」廣告募款活動。
・金百利公司、味全公司、國立台灣大學文學院、華僑同學聯誼會、金車文教基金會、《中國時報》等響應「好心救好心」廣告募款活動，捐款及舉辦各種慈善活動。

一九八八

・荷蘭航空公司及歐洲商務代表團為本會舉辦「維也納之夜」。
・聘請基金會第一位專任幹事。
・購置基金會會址（台北市青島西路十一號四樓之四）。
・第一期會訊出版。

一九八九

・學童心臟病篩檢防治工作開始。
・會訊改成每三個月一期，以會刊方式出版。

1990年，「獻上康乃馨　愛心救好心活動」。

1991年，二十週年系列活動。

一九九〇

- 贊助關懷心臟病童協會成立並舉辦「開心兒童夏令營」。
- 購入加強型救護車一輛，改善心臟病兒童轉診運送。
- 公視製作「風和草的對話」節目關懷心臟病童。
- 《民生報》、台灣電視公司及台北忠孝國際會舉辦「獻上康乃馨愛心救好心」活動。

一九九一

- 贊助成立中華民國兒童福利聯盟。
- 設置小兒心臟學研究計畫及進修獎助辦法。
- 出版發行一系列衛教手冊。
- 中國信託舉辦「點燃生命之火」活動。
- 舉辦成立二十週年「嗨！分一點你的心」系列活動。

一九九三

- 獲第一屆全國公益獎。

1993年，獲第二屆社會運動和風獎。

- 獲第二屆社會運動和風獎。
- 成立心臟病兒童登錄中心。
- 福爾摩沙文教基金會舉辦「台灣歌謠心連心」演唱會。
- 舉辦「中日韓學生心臟病篩檢研討會」。
- 舉辦「特別的愛給特別的母親」感恩活動。

一九九四

- 舉辦「台北亞太區小兒心臟學專題研討會」。

一九九五

- 魏火曜董事長去世，由陳烱霖接任董事長。
- 設立「台灣心臟組織冷凍保存實驗室」。
- 基金會登記基金自新台幣三千萬元提高到新台幣一億元。
- 舉辦二十五週年系列慶祝活動。

1999年，台灣兒童心臟學會成立。

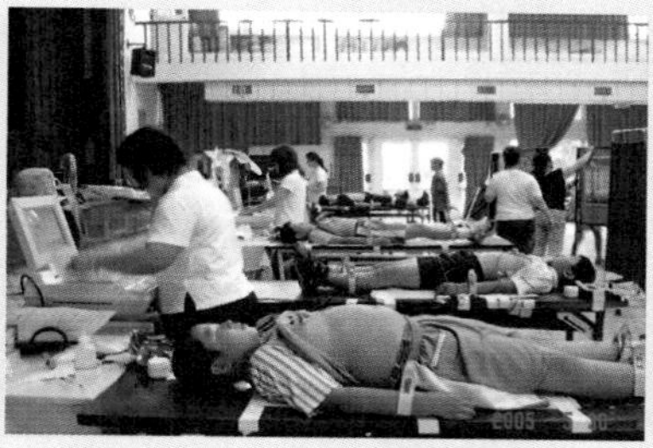

1999年，學生心臟病篩檢。

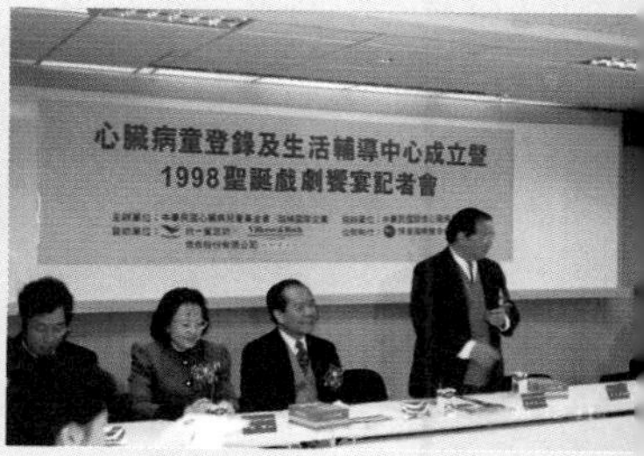

1999年，成立心臟病兒童登錄及生活輔導中

一九九六

・設立心臟病童生活輔導員。

一九九七

・購置基金會心臟病童輔導中心（台北市青島西路十一號五樓）。

一九九九

・成立心臟病童登錄及生活輔導中心。

・開始台北市學生心臟病篩檢工作。

・開始頒發「心臟病童獎學金」。

・贊助成立「台灣兒童心臟學會」。

二〇〇〇

・補助關懷心臟病童協會於心臟病生活輔導中心設立辦事處。

二〇〇一

・開始舉辦「歡心鼓舞運動會」。

・出版《兒童心臟學》一書。

2008年，舉辦第九屆國際川崎病研討會。

2005年，舉辦烏克蘭兒童合唱團慈善音樂會。

二〇〇二
• 制訂出版《心臟病學生體能活動指引》。

二〇〇五
• 舉辦三十五週年系列慶祝活動。
• 舉辦烏克蘭兒童合唱團慈善音樂會。

二〇〇六
• 舉辦三十五週年慶活動。

二〇〇八
• 舉辦第九屆國際川崎病研討會。
• 美商如新華茂股份有限公司贊助基金會五年計畫「如新中華兒童心臟病基金」活動。

二〇一〇
• 出版《兒童心臟學》第二版。

2011年，出版《愛，在每個心跳》。

2012年，舉辦第四屆亞太地區小兒心臟暨心臟外科研討會議。

二〇一一

- 舉辦四十週年系列慶祝活動。
- 出版《愛，在每個心跳》，記錄基金會及十二個心臟病童的故事，並於各書籍通路發行。
- 於中國大陸出版《兒童心臟學》第二版簡體字版。

二〇一二

- 舉辦第四屆亞太地區小兒心臟暨心臟外科研討會議，共三十個國家、五百七十二名醫師參加。
- 修訂心臟病童獎學金，新增獎助學士後研究組。
- 公告補助肺高壓病童「Sild」藥物。
- 開始於「兒心之家」舉辦心臟病童及家長衛教座談會。
- 開始舉辦南台灣心臟病童運動會。
- 贊助及推動成立「台灣兒童及青少年健康聯盟」。

2014年，發起「守護心肝寶bear」活動。

二〇一三

- 公告「急難關懷補助辦法」，以補助嚴重型心臟病童且特殊家庭的經濟負擔。
- 國際扶輪三四八〇地區，捐贈本會一部汽車做為先天性心臟病兒童篩檢車。
- 八月二十一日選聘第十四屆董監事會成員，由呂鴻基教授接任董事長，王主科教授接任執行長，陳銘仁醫師及花玉娟女士接任副執行長。聘陳烱霖教授為名譽董事長。
- 心臟病童生活輔導員工作地點，調整為以北區及南區為服務單位。

二〇一四

- 聯合全台十六家合約醫院推動「新生兒血氧篩檢」工作，以早期檢查出先天性心臟病新生兒，及時診斷治療。
- 至各醫學中心舉辦「聖誕節送暖」活動。
- 由瑞士商艾伯偉藥品有限公司發起「守護心肝寶bear」活動，設立基金會臉書。

- 參與台北市政府工務局大地工程處規劃「心臟血管主題公園」。
- 設「營運委員會」，主委：陳金讓、副主委：呂如芸。
- 開始於兒童節及母親節，分別於台北及高雄舉辦「電影欣賞」活動。
- 呂鴻基董事長代表參加在澳洲墨爾本舉行的世界心臟學會及世界心臟聯盟會員國代表大會。

二〇一五

- 四月一日至四日，於圓山飯店舉辦亞太地區兒童及成人介入性心導管手術會議，共有來自二十六個國家、三百六十七人參加。
- 修訂財務及會計處理辦法、國外出差管理辦法、工作人員管理辦法、退休撫卹資遣辦法、員工待遇支給辦法。
- 名譽董事長陳炯霖教授於十一月二十八日去世，享年九十九歲，於基金會奉獻四十五年。

二〇一六

- 舉辦「陳烱霖教授百歲冥誕紀念學術研討會」。
- 呂鴻基董事長拜會陳建仁副總統，推動台灣兒童健康福祉相關事務。
- 選聘第十五屆董事會及監事成員。

二〇一七

- 修改「心臟病童獎學金」為「心臟病童獎勵學金」，改以疾病嚴重程度、特殊優異表現及學業成績為頒發依據。
- 聘邱舜南醫師擔任副執行長。
- 贊助新台幣一百萬元成立台大兒童健康基金會。

二〇一八

- 新增網路線上捐款系統，大幅提升捐款便利性。
- 新增雲端會計管理系統，提升效率及風險控管。
- 依衛福部規範訂定財務投資管理機制辦法及設營運委員會。

2019年，康健人壽贊助騎腳踏車活動。

2018年，出版《台灣兒童心臟學之父呂鴻基》。

2018年，綺綺恐龍貼圖於LINE銷售

- 蘋果公司將本會訂為在台灣的指定捐款基金會。
- 康健人壽公司將本會列為長期捐贈的基金會。
- 已故心臟病童綺綺生前繪畫恐龍貼圖於LINE銷售，所得捐給本會成立指定用途：「補助病患置換肺動脈瓣」。
- 編輯出版《台灣兒童心臟學之父呂鴻基》一書。

二〇一九

- 選聘第十六屆董事會及監事成員。
- 建置電子發票愛心碼九九八八，鼓勵民眾捐獻電子發票。
- 康健人壽贊助本會共同舉辦北海岸騎腳踏車活動。
- PRESTIGE《品雜誌》舉辦「40 Wishs 真心實現」活動，計劃幫十位嚴重性心臟病童圓夢。

二〇二〇

- 因新冠肺炎疫情影響，八月底前多項心臟病童相關活動皆取消，病童的醫療及關懷工作照常運作。

- 北區扶輪社認同本會幫助緬甸心臟病童計畫，應允疫情緩解後贊助執行經費。
- 中央研究院前院長李遠哲來訪，共同推動「我國兒童健康福祉的優化計畫」。
- 呂鴻基董事長獲台北保安宮第三屆保生醫療奉獻獎，並捐出獎金新台幣一百萬元成立「呂鴻基獎」，獎勵從事基礎與臨床兒童心臟學之研究，並表揚對兒童心臟學有優異表現及貢獻的醫師。

二〇二二

- 在第八屆亞太地區小兒心臟暨心臟外科研討會議中合併舉辦心臟病童的健康照護研討會議。
- 出版《兒童心臟學》第三版。
- 出版基金會成立五十週年紀念專刊及影片。
- 舉辦成立五十週年慶祝活動。

附錄

兒心基金會第十六屆董監事名單

任期：民國一〇八～一一一年

董事長：呂鴻基

名譽董事長：陳烱霖

常務董事：王主科、吳美環、陳寬墀、蘇文鈐

董事：吳俊仁、吳俊明、呂如芸、李源德、沈瓊桃、張立中、張重義、郭槐秋、陳益祥、陳銘仁、黃碧桃、葉宗林

常務監察人：沈慶村

監察人：吳春福、林逸民、陳月枝、陳金讓

執行長：王主科

副執行長：花玉娟、邱舜南、陳銘仁（依姓氏筆劃排列）

行政主任：花玉娟

（依姓氏筆劃排列）

International Kawasaki Disease Symposium, 2008; IV Congress of Asia-Pacific Pediatric Cardiology and Surgery 2012; Pediatric and Adult Interventional Cardiac Symposium, Asia-Pacific 2015; VIII Congress of Asia-Pacific Pediatric Cardiology and Surgery 2021.

9.Recognizing "Corporate Society Responsibility": In 2011, we organized the Child Health Alliance Taiwan (CHAT), advocating for the promotion of child well-being in Taiwan. The total amount funded was NT$ 5,993,909.

Summary and Blessing

Currently, to our knowledge, foundations for cardiac children around the world are still limited. They are: The Taiwan Cardiac Children's Foundation (CCFT), established since 1971; The Cardiac Children' Foundation of Bangkok, Thailand since 1981; Adult Congenital Heart Association, Braintree, UK since 1988; Heart Children Ireland, Crumlin, Ireland since 1990; International Children's Heart Foundation, Cordova, TN USA since 1993; "Save A Child's Heart," Tel Aviv, Israel since 1995; The Children's Heart Foundation/American Heart Association Partnership, USA since 1996; The Children's Heart Foundation, in alliance with American Heart Association, Northbrook, IL USA 1996; Adult Congenital Heart Association, Media, PA USA 1998.

CCFT is the number one Cardiac Children's Foundation in the world. Congratulations to its 50th Year Anniversary! We would like to express our gratitude to the countless contributors who donated to CCFT, and to the late CCFT Presidents H. Y. Wei and CL. Chen and many NTHU physicians and society dignitaries, who instructed and helped us. Looking forward to CCFT's continuing development and wishing another 50 bright years ahead!

scholarships to kids who underwent a catheter intervention or open heart surgery. The number of cardiac kids awarded totaled 7,867, the amount of scholarship totaled NT$20,882,000 (Fig. 3).

5.Cardiac Kids Sports Party: Hoping cardiac children maintain a healthy lifestyle and learn the optimum physical exercises starting from early childhood, in 1985, we started holding the "Cardiac Kids Sports Party," once or twice a year, under the auspices of the National Sports University.

6.Heart Disease Screening for Early Detection: Since 1989, we started screening school children for heart disease in collaboration with the Taiwan Society of Pediatric Cardiology. Children were screened with a special questionnaire and ECG-Phonocardiography, followed by a physical examination by a physician. All children suspected to have cardiac problems were transferred to a regional medical center for a final diagnosis. The number of students screened totaled 2,505,896 (Fig. 4).

7. Pediatric Cardiology Fellowship and Research Grants: Since 1974, CCFT has provided pediatric cardiology fellowship grants in NTUH, and has started granting pediatric cardiology research projects since 1993 to the present. The total number of research projects granted is 133, and the total amount granted is NT$54,832,203 (Fig.5).

8. Co-hosting the International Society Conference: Collaboration Works in holding VIII Asian-Pacific Congress of Cardiology, 1983; III Asian Congress of Pediatric Cardiology, 1983: Sun Moon Lake International Symposium on Rheumatic Fever and Rheumatic Heart Disease, 1983: East-West International Pediatric and Health Conference, 1988; X Asian Pacific Congress of Pediatrics, 2000; 100 Years International Symposium of Pediatric Cardiology, 2000; IX events held included: NTU College of Medicine Students, North-West Air-ways, KLM Royal Dutch Airlines and others.

Program Services for Cardiac Kids Carried Out in the Past 50 Years

The Taiwan Cardiac Children's Foundation (CCFT) is the first charity foundation ever established in Taiwan with a mission to save the lives of cardiac children, and also to protect them and enhance the research in pediatric cardiology. Program services, which have been carried out in the past 50 years from 1971 to 2021, are summarized as follows:

1.Save the Lives of Cardiac Kids: The number of cardiac children funded has increased from one child a month in the beginning to one child a week, and in 1989, to one child a day, reaching more than 900 kids in 1991. The number decreased since the implementation of the national health insurance in 1995, the total number of cardiac kids funded reached 7,720, and the funds totaled NT$213,200,000 (Fig. 1).

2.Working with Cardiac Kids Parents: In 1988, we helped establish the parents association of cardiac kids, called the "Care for Cardiac Children Association," and provided a secretariat office granting the annual budget, working together for the care of cardiac children.

3.Life Promotion Workers for Cardiac Kids: We started in 1996 to set up "Life promotion workers," serving cardiac kids, lending mostly oxygen tanks for home use, pulse oximeters, and in special cases, "urgent relief funds." The number of cardiac kids served totaled 1,389 (Fig. 2).

4.Scholarships for Cardiac Kids: In 2000, for the enhancement of education in elementary, middle, high school, college and university, we started awarding

A Campaign Committee Organized and the Cardiac Children's Foundation Taiwan (CCFT), Established

Dr. H.Y. Wei, Dean of the NTU College of Medicine, Dr. S.R. Chhiu, Superintendent of the NTUH, Dr. C.L. Chen, Chairman of the Department of Pediatrics, and many others gathered and joined Dr. Lue and organized a Campaign Committee. The Taiwan Cardiac Children's Foundation (CCFT) was officially established in June 1971, and the Board of Directors were elected: President Huo-Yao Wei; Directors: Shi-Ron Chhiu, Chi-Ren Hung, Ren-Yang Hsue, Nong Tin, Wu-Ten Wu, Tin-Hsen Lin, Tsuo-En Yao, Chiun-Min Chen, Chha-Mou Chen, Chiung-Lin Chen, Kuan-Chhi Chen, Ron-Tan Huang, Huo-Chhen Yeh, Ta-Chhen Tung, Wang Hsiong, Sister Antonia Maria, Viola Ong and Shen-Lin Lai and Hung-Chi Lue; Auditors: Tsong-Yu Chang, Tian-You Lin, Shu-Nuan Yang-Cheng; Secretary-General: Hung-Chi Lue, Secretary: Hsin-Chi Ho, Lin-Ton Huang.

Warm Responses and Many Charity Events Held

Large and small donations, in cash or remittance, from personal savings, savings from events like birthday parties, engagements, college graduations and many others. Donations were also received from private companies and corporations, such as: the China Trust, International Community Radio Station Taipei, US Armed-Force Women's Club, Rotarian's Club and others. The biggest amount was from the "Pak Fah Yeow Corporation."

Charity concerts and exhibitions held for children with heart disease included: The Taipei Teachers Association, Tsai CS Piano and Viola, Taipei City Government, Yeh HC Oil Paintings, Chan MCMatch-Box. Campaign Drives or

Taiwan Cardiac Children's Foundation 50th Anniversary: A Review and Blessings

Hung-Chi Lue, MD, PhD; Jou-Kou Wang, MD, PhD; Ming-Ren Chen MD; Shuenn-Nan Chiu, MD; Yu-Chuan Hua, BS

Congenital heart disease (CHD) is the most common congenital malformation, occurring in 8 to 10 of 1,000 newborns. Major CHD requires catheter interventional or open heart surgery in early infancy. During the 1960s to 1980s in Taiwan, there was no health insurance coverage for infants and children. The hospital cost for open heart surgery was quite expensive. Many parents who could not afford to pay such an amount were left to let their child discharged from the hospital and die at home.

Dr. Hung-Chi Lue, who was a pediatric cardiologist working in the National Taiwan University Hospital (NTUH), once told a reporter, Mr. CK Chu, "I need the society to help save the lives of kids with heart disease. The next morning in the Taiwan Central Daily News (1970.09.20) a headline appeared, "Dr. Hung-Chi Lue of the NTUH Calling for Your Help to Set Up a Cardiac Children's Foundation." Two weeks later, a mother of Dr. Lue's patient came to the NTU Clinic, and handed Dr. Lue the first donation of NT$10,000, saying "This is the money we saved on my husband's birthday."

國家圖書館出版品預行編目(CIP)資料

愛,在每個心跳：十二位開心的生命鬥士/謝其濬, 陳慧玲,
陳培英作. -- 第一版. -- 臺北市：遠見天下文化出版股份有
限公司, 2021.12
　面；　公分. -- (健康生活；BGH199)

ISBN 978-986-525-400-1(平裝)

1.心臟病 2.病人 3.文集

415.31　　110019609

健康生活 BGH199

愛，在每個心跳

十二位開心的生命鬥士（增修版）

作者 — 謝其濬、陳慧玲、陳培英
專案主編 — 花玉娟

企劃出版部總編輯 — 李桂芬
主編 — 詹于瑤
責任編輯 — 李美貞（特約）
美術設計 — 鄒佳幗
圖片提供 — 中華民國心臟病兒童基金會

出版者 — 遠見天下文化出版股份有限公司
創辦人 — 高希均、王力行
遠見・天下文化 事業群董事長 — 高希均
事業群發行人／CEO — 王力行
天下文化社長 — 林天來
天下文化總經理 — 林芳燕
國際事務開發部兼版權中心總監 — 潘欣
法律顧問 — 理律法律事務所陳長文律師
著作權顧問 — 魏啟翔律師
社址 — 台北市 104 松江路 93 巷 1 號
讀者服務專線 —（02）2662-0012 ｜傳真 —（02）2662-0007；2662-0009
電子郵件信箱 — cwpc@cwgv.com.tw
直接郵撥帳號 — 1326703-6 號 遠見天下文化出版股份有限公司

電腦排版 — 立全電腦印前排版有限公司
製版廠 — 中原造像股份有限公司
印刷廠 — 中原造像股份有限公司
裝訂廠 — 中原造像股份有限公司
登記證 — 局版台業字第 2517 號
總經銷 — 大和書報圖書股份有限公司｜電話 — (02)8990-2588
出版日期 — 2021 年 12 月 8 日第一版第 1 次印行

定 價 — 新台幣 450 元
ISBN — 978-986-525-400-1 ｜ EISBN — 9789865253981 (EPUB)；9789865253967 (PDF)
書 號 — BGH199
天下文化官網 — bookzone.cwgv.com.tw

中華民國心臟病兒童基金會 50 年